AMAZONIA

Fiction & Cie

Patrick Deville

AMAZONIA

roman

Seuil
57, rue Gaston-Tessier, Paris XIXᵉ

COLLECTION
« Fiction & Cie »
fondée par Denis Roche
dirigée par Bernard Comment

ISBN 978-2-02-124750-3

© Éditions du Seuil, août 2019

www.seuil.com
www.fictionetcie.com

Je hais les voyages et les explorateurs.
LÉVI-STRAUSS, *Tristes Tropiques*

père & fils

Une violente averse bousculait le navire, l'eau pénétrait par la jointure des hublots. Nous allumions une petite lampe. Dans la pénombre de la cabine baignée d'air chaud, Pierre à contre-jour emplissait un carnet. J'avais attendu d'être à bord pour lui demander s'il se souvenait de sa découverte, une dizaine d'années plus tôt, de ce vers de Blaise Cendrars, « Gong tam-tam zanzibar bête de la jungle rayons x express bistouri symphonie », fragment de poème qu'il avait intégré à l'un de ses dessins. Il m'avait répondu que, sans doute, à l'époque, je lui avais mis ça sous les yeux.

Son père à lui, Cendrars, son père l'inventeur raté ou spolié, l'homme aux affaires calamiteuses, l'importateur de bière frelatée à Naples, le promoteur ruiné d'un palace fantôme en Égypte, l'auteur du brevet d'un ressort pour fermer les portes, finalement revenu à La Chaux-de-Fonds, lui avait offert un livre de Nerval qui allait décider de sa vie. Il avait encore trouvé dans la bibliothèque paternelle *L'Asie russe* d'Élisée Reclus et ç'avait été l'invention du Transsibérien. Longtemps après le Brésil, Cendrars avait offert à son fils Rémy *La Chute d'un ange* de Lamartine.

Le fils était aviateur. C'était la guerre. L'ange avait perdu la vie lors d'un vol d'entraînement.

Il faut se méfier des livres qu'on recommande aux fils : c'est sur une forte recommandation paternelle, une injonction, que j'avais lu enfant *Moravagine*. Même s'il me semblait étrange, ce livre, j'avais longtemps pensé qu'il était écrit pour moi puisque mon père me l'avait imposé, j'y trouvais le goût des tours du monde, la parenté du fou Moravagine et du fou Taba-Taba, lequel était alors mon camarade dans l'hôpital psychiatrique où nous vivions. Sans doute les scènes érotiques et pornographiques m'avaient échappé.

Pas les Indiens bleus.

Lorsqu'il débarque du *Formose* en 1924, Cendrars rêve de fortunes brésiliennes. Il est pour ça aussi peu doué que son père. Les chats ne font pas des chiens. Il descend l'échelle de coupée, balaie ces dix dernières années : en 14 il vivait encore à Forges-par-Barbizon. Ce Suisse qui pouvait échapper à la mobilisation, de la guerre se laver les mains, avait lancé un appel afin de réunir « des étrangers amis de la France, qui pendant leur séjour en France ont appris à l'aimer et à la chérir comme une seconde patrie, et sentent le besoin impérieux de lui offrir leurs bras ». Un an plus tard, un obus lui avait arraché le bras droit et la main avec laquelle il avait écrit cet appel.

Cette main jetée dans la poubelle d'un hôpital de campagne avait tracé les vers des *Pâques à New York* et de *La Prose du Transsibérien*. C'est déjà un vieux modernisme, dépassé par le dadaïsme et le surréalisme, démodé, des trains et des paquebots comme affiches des Messageries Maritimes, un ananas et un perroquet en métonymie des Antilles. Il imagine se mettre au roman, depuis des années traîne dans ses malles les projets de *L'Or* et de *Moravagine*. De sa Remington portative, à bord du *Formose*, il a peu entendu tinter la sonnette en bout de ligne.

Sur le quai, vêtus de blanc, l'attendent Paolo Prado et la petite bande du Movimento Modernista. Il écrira que son mécène était « un homme de la famille d'A.O. Barnabooth, presque aussi riche que le héros de Valery Larbaud, mais beaucoup plus racé, fin, lettré, érudisant », surtout roi du café, riche à millions. Son père à lui était un proche de l'empereur Pedro II. Paolo Prado avait négocié avec Paul Claudel, ambassadeur à Rio, l'entrée en guerre du Brésil auprès des Alliés. Depuis l'armistice, la petite bande vivait souvent en France, skiait dans les Pyrénées. À Paris, Cendrars leur avait présenté Larbaud et Supervielle, Satie et Debussy. Comme les navigateurs normands avaient au seizième siècle emmené des Indiens du Brésil pour les présenter au roi de France, Paolo Prado avait ramené, tel un ethnologue un trophée, un poète moderniste français au Brésil.

les Indiens bleus

Tout ça glissait depuis des jours dans le labyrinthe, le navire que nous appelions la *Jangada*, amazonien, étroit, haut sur l'eau, coque en bois d'itaúba, les membres d'équipage qui arboraient dans le dos les mots MARINHA MERCANTE. Après des mois de radoub, ils effectuaient la sortie d'essai de l'embarcation. Nous étions avec Pierre les deux seuls passagers, profitions des heures de navigation monotone dans le ronronnement des machines.

Assis à l'abri du rouf, nous laissions défiler la lente muraille verte et hypnotique, laquelle avait mené vers la folie ou la poésie les premiers navigateurs effarés. Par beau temps, nous faisions à tour de rôle notre lessive dans le lavabo de la cabine, étendions nos vêtements au bastingage avec des pinces à linge. Je n'avais pas vu depuis longtemps une pince à linge. On aimerait avoir apporté à l'humanité quelque chose d'aussi utile et judicieux que la pince à linge ou la clef à sardine. Nous retrouvions nos lectures et nos carnets, dans l'isolement, le respect de notre solitude, parlions peu.

Délaissant l'autoroute des cargos porte-conteneurs et des bateaux de ligne, des barges à pousseurs, la *Jangada* suffisamment agile s'engageait dans les bras qu'on dit paranas, navigables en cette période des hautes eaux, y prenait mouillage pour la nuit. À l'aube nous entendions les reniflements ou les pets des dauphins, le chant des coqs depuis les fermes submergées, dressées sur leurs pilotis.

Dans le parana de Maica, notre grande fringale de voir des animaux sauvages, puisque la disparition de presque tous était engagée, même s'emballait, cette fringale nous avait amenés vers un groupe de bicoques jaunes et vertes, un ponton, des chiens, une pompe à essence. Avec le chef de ce village d'anciens nègres marrons devenus cabocles, mais bénéficiant, à ce titre ancien, d'un statut spécial depuis l'abolition de l'esclavage, nous étions partis chercher dans la forêt des singes hurleurs et des capucins, difficiles à repérer, immobiles dans les arbres, avant qu'ils ne se mettent à faire les marioles suspendus à leur queue. Nous avions bien aperçu aussi des paresseux, de grands papillons bleus, des morphos, mais aucun Indien du même coloris.

Les lectures successives de *Moravagine* avaient effacé mes impressions d'enfant, je ne saurai jamais plus ce que j'avais éprouvé à la découverte de ces phrases que je lisais devant le paysage autrement moins exubérant de l'estuaire de la Loire : « Nous étions entourés de fougères arborescentes, de fleurs velues, de parfums charnus, d'humus glauque. Écoulement. Devenir. Compénétration. Tumescence. Boursouflure d'un bourgeon, éclosion d'une feuille, écorce poisseuse, fruit baveux, racine qui suce, graine qui distille. » La pirogue descendait le fleuve, s'approchait d'une berge pour le bivouac. « Nous ne les avions pas entendus venir. Ils s'avançaient sur nous et resserraient leur cercle silencieusement. Moravagine voulut les haranguer, un coup de pagaie l'étendit par terre et il fut rapidement ligoté. C'étaient des Indiens bleus. »

Bien plus au sud, c'est au volant d'une Ford conversível que Cendrars avait parcouru, à partir de São Paulo, les chemins du Minas Gerais. Puis ç'avait été la révolution. Il avait suivi Paolo Prado. Lors des émeutes, les riches toujours et partout se retirent un peu dans leur maison de campagne. Le temps que ça se tasse.

à bord

Mains derrière la nuque, on peut imaginer ces milliers de rivières qui, depuis les deux hémisphères, se rejoignent dans le lit du fleuve quelques degrés sous l'équateur comme des milliers d'histoires. Le manchot manque un bon sujet. Celui de la colonne Prestes. Depuis des mois Cendrars tourne en rond, donne des conférences pour se faire de l'argent de poche. Moderniste il ne l'est plus. Poète non plus. Ce qu'il voudrait, c'est grâce aux contacts de Paolo Prado monter des affaires, trouver la fortune, ouvrir les bureaux de la Cendrars & Co. Ça ne l'arrange pas, cette révolution.

En ce début de juillet 1924, c'est au Brésil une insurrection militaire connue comme la Révolte Paulista. De jeunes officiers des classes moyennes exigent la justice sociale, le vote à bulletin secret, le développement de l'école publique, autant de prétentions qui font hausser les épaules et sourire les rois du café comme Paolo Prado. Le mouvement se propage. Soulèvements dans le nord jusqu'à Belém et Manaus et dans le Rio Grande do Sul. Les rebelles tiennent São Paulo pendant trois semaines, quittent la ville en colonne. Mille cinq cents hommes au départ, bientôt quatre mille, entament une longue marche antérieure à celles de Mao en Chine et de Savimbi en Angola, essaient de soulever les paysans. À leur tête Luís Carlos Prestes, un capitaine de vingt-six ans, évite l'affrontement, fait preuve de génie stratégique, impose une stricte discipline, expulse les défaitistes, et parmi eux Filinto Müller. Vingt ans plus tard, devenu chef de la police politique du président Getúlio Vargas, celui-là se vengera de Luís Prestes en livrant sa femme, Olga Benário, révolutionnaire allemande, laquelle avait été son garde du corps avant qu'il ne l'épouse, à la Gestapo, qui l'enverra dans le camp d'extermination de Ravensbrück, puis la chambre à gaz de Bernburg.

Mais dans ces années vingt, jamais la colonne ne fut vaincue, qui parcourut pendant deux ans, en grandes boucles, dans les paysages presque vides et arides des sertões, l'incroyable distance de vingt-cinq mille kilomètres, soit l'aller-retour de Paris à Vladivostok, harcelée par les hordes de bandits soudoyés et équipés par l'armée, cangaceiros auxquels on promettait l'amnistie et des galons, parmi eux le terrible Lampião dans le Pernambouc. Poussée vers les frontières de l'ouest et du sud, la colonne s'était scindée au fil de la déroute, avant de se dissoudre, une partie des hommes avait trouvé refuge en Bolivie et l'autre au Paraguay.

Par dévotion filiale, lors de mes premiers séjours à São Paulo, j'avais cherché les traces des cendrarsiens fébriles, au nombre desquels avait compté mon père, mort depuis quelques années déjà. Dans son bureau de la Preifeitura, j'étais allé interroger Carlos Augusto Calil. Il m'avait offert un fort volume illustré d'Alexandre Eulalio qu'il venait d'éditer, *A Aventura brasileira de Blaise Cendrars*, dans lequel figuraient des inédits brésiliens mais rien sur la colonne.

J'arrivais de Luanda. Au consulat, j'avais retrouvé Sébastien Roy, qui avait écrit un livre en Angola. Avec lui j'avais commencé de côtoyer les écrivains brésiliens Luis Ruffato et Bernardo Carvalho. Avant mon départ, j'avais laissé dans son bureau une pile de livres sur laquelle il allait veiller pendant un an. Après trois voyages dans les années vingt, Cendrars n'était plus revenu. Longtemps après, il avait publié *Brésil, des hommes sont venus*. Nous y étions.

De ma petite entreprise de ces vingt dernières années, Pierre avait lu dans le désordre plusieurs des récits qui bouclaient un tour du monde de l'ouest vers l'est, de l'Amérique centrale au Mexique en passant par l'Afrique et l'Asie. Dans le plus récent, un tour de la France qui était aussi un demi-tour, avant de repartir cette fois vers l'ouest, de l'Atlantique au Pacifique, grâce aux archives de Monne j'avais reconstitué la vie de mon père auprès de son propre père, la vie de celui-ci auprès du sien, et ainsi de suite. Nous pourrions poursuivre l'expérience, imaginais-je, reprendre cette chaîne des pères et des fils. Avec cette notable différence que nous étions vivants. Voir ce que ça pouvait donner. Il avait réfléchi. Avait dit oui. Depuis quelques années, nous n'avions plus voyagé ensemble.

L'an passé, profitant d'une invitation de Samuel Titan, éditeur de littérature et de photographie, nous avions atterri à São Paulo puis rejoint par la route la Costa Verde et Paraty, où nous avions rencontré l'explorateur Amyr Klink et visité ses navires, le *Paratii* et le *Paratii 2*, à bord desquels il avait effectué ses tours du monde en solitaire et ses hivernages dans les glaces des pôles. Il habitait une baie inaccessible par voie de terre, où nageaient des tortues et que surplombait, dans la forêt, la maison qui avait été une distillerie de cachaça et dans laquelle la mère de Thomas

Mann avait passé son enfance. Dans *La Mort à Venise*, on lit le souvenir de cette femme elle-même écrivain, Julia da Silva Bruhns, dans la mère du vieil Aschenbach, et aussi dans ce « paysage, un marais des tropiques, sous un ciel lourd de vapeurs, moite, exubérant et monstrueux, une sorte de chaos primitif fait d'îles, de lagunes et de bras de rivières charriant du limon, d'une profusion de fougères luxuriantes, d'un abîme végétal de plantes grasses, gonflées, épanouies en fantastiques floraisons ».

Gustav von Aschenbach retrouvait dans sa mémoire ces images qui lui faisaient horreur, « voyait des arbres aux difformités bizarres jeter en l'air des racines qui revenaient ensuite prendre terre, plonger dans l'ombre et l'éclat d'un océan aux flots glauques et figés où, entre des fleurs flottant à la surface, blanches comme du lait et larges comme des jattes, des oiseaux exotiques au bec informe se tenaient sur les bas-fonds, le cou rentré dans les ailes, l'œil de côté et le regard immobile ».

Dans cet oiseau, je voyais le hoatzin huppé aux larges ailes de feu pourpre qui deviendrait notre oiseau fétiche, qu'avec Pierre nous allions traquer d'un bout à l'autre de l'Amazonie où il est somme toute commun, monstre préhistorique, unique de son espèce, témoin du passage du dinosaure à l'oiseau, dont le poussin très laid, blanchâtre, possède des mains à deux doigts griffus pour se hisser dans les arbres ou arpenter le grand nid de branchages assez mal foutu. S'en approchant à la pagaie dans la forêt inondée, levant vers lui les jumelles, faisant le point sur cette tête décoiffée, ébouriffée, furieuse, grossissant l'œil rond, rouge cerné de bleu, fixe, terrible, un réflexe nous faisait reculer comme si d'un coup de bec il allait percer l'objectif et nous crever la rétine. Le hoatzin, seul volatile ruminant, par conséquent rotant comme une vache, est l'oiseau puant. Cette pestilence dont il s'enrobe lui offre une défense aussi efficace que le mimétisme ou la carapace. C'est aussi qu'il est immangeable.

« sur la ressemblance
des enfants avec leurs pères »

Sans doute était-elle réciproque, cette crainte de la querelle, dans le confinement de la *Jangada*. Comme dans toutes les histoires d'amour il y avait eu des claquements de portes, des cris, de brusques départs dans la nuit, à bord du navire nous savions les options limitées, la fuite à pied dans la forêt hasardeuse, la fuite à la nage rendue périlleuse par la présence des piranhas et des candirus.

Au cours des dix dernières années, Pierre avait pratiqué la photographie et la musique, parfois en dilettante, avec application à d'autres périodes, enregistré des disques, donné quelques concerts de Bruxelles à Marseille sous divers pseudonymes. Je ne l'avais vu qu'une fois sur scène, mot inapproprié. Guitare électrique en main il jouait au milieu du public debout, dans la petite salle d'une galerie. Dans cet état second, il m'était apparu méconnaissable, paroles sombres et voix grave, très lente, et puis d'un coup violente. Je songeais à cette énigme des pères et des fils dont j'avais depuis longtemps entamé la recension : Malcolm & Arthur Lowry, Pietro & Ascanio Savorgnan de Brazza, Arthur & Frédéric Rimbaud, Rudyard & John Kipling, Jonas & Lote Savimbi, Percy & Jack Fawcett,

Theodore & Kermit Roosevelt... À bord de la *Jangada*, j'avais emporté les *Essais*.

Dans son chapitre « Sur la ressemblance des enfants avec leurs pères », Montaigne s'étonne du prodige « que cette goutte de semence par laquelle nous sommes créés porte en elle les traces non seulement de la forme corporelle, mais des façons de penser et des tendances de nos pères ». Des siècles plus tard et l'union des deux codes génétiques révélée, le mystère n'était pas davantage éclairci.

On distinguait autrefois les enfants naturels des enfants légitimes mais tous étaient naturels. Après dix ans de vie commune, nous avions avec Florence décidé que cet enfant légendaire dont nous parlions de temps à autre pouvait enfin voir le jour. Avant de naître dans une maternité angevine, Pierre fut conçu un soir de juin 1988 au bord de l'océan, à peu de distance du Lazaret où j'avais été conçu en mars 1957 avant de naître dans la maternité de Paimbœuf, la plus proche de notre hôpital psychiatrique par la terre ferme.

De nouvelles techniques médicales avaient depuis permis de mettre fin à ces hasards, de concevoir des enfants qu'on ne disait pas artificiels mais génétiques, issus parfois non plus de deux mais de trois apports mitochondriaux, afin d'éviter la transmission de certaines affections. Si ces techniques de détection avaient existé à l'époque, peut-être aurait-on conseillé à mes parents d'oublier leur première tentative malheureuse, de détruire ce fœtus atteint de malformation des guiboles, et de se remettre gaiement à l'ouvrage.

C'est donc bien par le plus grand des hasards que nous étions à bord.

S'il est souvent agaçant d'observer son père, de retrouver en lui des travers et des manies qu'on sait en avoir reçus, mais qu'on aurait préféré ne pas, il est fascinant d'observer son fils, ces détails qu'on reconnaît et d'autres inconnus, dans des « façons de penser et des tendances », et ce déséquilibre dans l'observation est source de malentendus au fil du temps, puisque l'un et l'autre évoluent, se modifient, alors que chacun sans doute aimerait être le seul à changer et que l'autre demeure constant.

Depuis trente ans, la plupart du temps j'avais voyagé seul. Pierre est cependant la personne avec laquelle j'ai parcouru le plus de kilomètres sur la route. Il ne me reste pas assez de temps pour qu'il soit un jour supplanté. Un soir au Bistrot des Amis, alors que nous préparions notre expédition, nous avions, par goût commun des listes, relu dans un carnet les lieux où nous étions allés ensemble, et chaque mot consigné éveillait, chacun pour soi, des images différentes de chacun de nous à des âges successifs, comme si nous parcourions en accéléré ces presque trente années, Saint-Malo et Jersey et la Normandie, l'Aubrac et le Quercy, la Belgique, Dunkerque, Bruges, la Hollande, Paimpol et Tréguier, Bréhat, Port-Navalo, Rochefort-sur-Mer, Saint-Palais, le Verdon, Biarritz… Ces voyages à deux s'effectuaient à bord d'une antique Mercedes blanche énorme, la W-115, char d'assaut, phares verticaux, bouchon de calandre aux trois angles à cent vingt degrés très loin tout au bout du capot, Pierre au début dans un siège pour enfant à l'arrière puis, les années passant, tous les deux à l'avant. Nous disions encore Bilbao, les Asturies, la Cantabrie, la Galice, sifflotant à Paris notre verre de chablis comme si c'était à présent de l'albariño. Retour de Paraty, nous avions résolu que cette année 2018 serait pour nous blanche et verte, Alpes & Amazonie.

Début février, nous avions passé quelques jours dans un chalet à Chamonix. Le matin nous partions tous les deux par le petit train rouge de Montenvers pour la mer de Glace, laquelle avait fondu de plusieurs dizaines de mètres sous l'effet du réchauffement climatique depuis que Pasteur était venu ici, en 1860, effectuer ses prélèvements d'air pur. De l'autre côté nous grimpions vers l'aiguille du Midi dans les bourrasques de neige. Pierre prenait des images des brumes qui semblaient du film de Jarmusch *Stranger Than Paradise*. Le soir au chalet, nous dînions avec Bruno Mégevand et son fils Matthieu, deux pères et deux fils, à peu près le même âge pour chacune des générations, parlions de ce projet auquel nous nous préparions, ils se souvenaient eux aussi avec bonheur de quelques voyages à deux.

Après notre retour à Paris sous la neige, et afin de reprendre notre histoire à son début, j'étais parti pour le Maroc. Pierre empruntait un covoiturage pour aller retrouver son amoureuse en Bretagne. Alors qu'à Marrakech je m'éloignais de la caserne du Guéliz, marchais sur la route de la Targa, jusqu'à l'impasse où se trouvait la maison que nous habitions en 1990, impasse devenue une rue, laquelle menait à présent à une route, construite au pied du petit djebel hérissé de remparts, j'avais reçu de lui un message : « Bien arrivé malgré la neige. Je t'embrasse depuis Saint-Nazaire. »

Vingt ans plus tôt, nous étions revenus tous les deux voir cette maison marocaine dite « du général Mangin », qu'il avait oubliée, ce jardin où il avait appris à se tenir debout, à faire ses premiers pas. Sous le grand citronnier, un robinet alimentait le tourniquet jaune de l'arrosage, grand tournesol éphémère scintillant sur l'herbe mouillée, je le voyais traverser les gerbes rotatives des gouttelettes d'or, mal assuré, titubant, entendais ses rires d'enfant comme si j'étais encore en 1990, avais un instant cligné des yeux, les rouvrais et, par ce miracle si commun, si banal, pourtant le plus étrange dans la vie de tous les hommes, abracadabra, plus étonnant encore que d'aller à pied de Paris à Vladivostok ou de marcher sur la lune, ce tour de passe-passe époustouflant, alors que je pouvais sentir encore dans mes bras le poids de son corps minuscule et trempé, je côtoyais un homme mystérieux à bord de la *Jangada*.

à Guanabara

Ces livres que j'avais laissés dans le bureau de Sébastien Roy au consulat de São Paulo, parmi lesquels un volume des photographies de Marc Ferrez, j'étais passé les récupérer avec ponctualité un an plus tard, en 2006. Cette fois je lui avais proposé d'organiser au Brésil l'édition d'un prix littéraire créé des années plus tôt avec le soutien des meilleurs briquets du monde, qui voulaient être aussi les meilleurs stylos du monde. Il s'agissait d'aider un jeune écrivain à être édité et de lui offrir une bourse. J'avais déjà remis ce prix en Uruguay, au Costa Rica, au Venezuela, à Cuba et au Mexique. Sébastien Roy avait accepté de réunir un jury d'écrivains brésiliens, de se charger de la logistique, des appels dans la presse, et de la réception au consulat des manuscrits anonymes.

À présent que je pouvais mener un semblant de vie brésilienne, tout en continuant à chercher en Afrique les traces de Savorgnan de Brazza, dans les deux années qui avaient suivi j'avais séjourné à Rio dans l'hôtel Glória avec l'idée d'écrire un jour lointain, plus de cinq siècles après celle de Pedro Cabral, ma propre conquête du Brésil. Les longs couloirs du Glória étaient ornés de photographies en noir et blanc des hôtes illustres, Kim Novak et Isadora

Duncan, Gina Lollobrigida et Marilyn Monroe, mais je savais les conversations au bar de cet hôtel entre Roger Caillois et Georges Bernanos, bien qu'on les eût trouvés trop laids peut-être pour afficher leur trombine au milieu des actrices, trop peu célèbres aussi pour attirer la clientèle de ce genre d'établissement.

Assis sur la terrasse au-dessus de la baie, je passais les journées devant les livres d'Histoire et les chroniques, *Histoire d'un voyage faict en la terre du Brésil* de Jean de Léry, les soirées à contempler le petit navire rouge et ponctuel dont la passerelle blanche est à la proue, qui passait avec régularité, chaque soir avant le coucher du soleil, j'apprenais les disputes, bientôt la guerre, pour savoir si la Rivière de Janvier serait un jour française ou portugaise, l'arrivée du vice-amiral de Bretagne Villegaignon, soldat et savant de la Renaissance envoyé ici fonder une colonie et peut-être un royaume, Fort Coligny, sur une île au milieu de cette baie de Guanabara. Le vice-amiral avait sollicité le soutien des Genevois protestants et l'expérience devenait une propédeutique aux guerres de Religion. La colonie s'était autodétruite pour des arguties théologiques en tuant quelques Indiens de chaque côté.

Des marchands normands avaient cependant embarqué trois de ces Indiens à destination de la France. Ceux-là, Montaigne les avait rencontrés à Rouen en 1562 avec le roi Charles IX, alors que la ville venait d'être reprise aux protestants par le duc de Guise. « Le roi leur parla longtemps ; on leur fit voir nos manières, notre faste, l'aspect extérieur d'une belle ville. » Après qu'on leur avait demandé ce qui les étonnait le plus, les Indiens avaient répondu qu'ils ne comprenaient pas comment tant d'hommes grands, portant la barbe, forts et armés, obéissaient à un enfant. Le roi

Charles IX avait douze ans. Ils s'étonnaient aussi que les mendiants aux portes de la ville, décharnés par la faim, « pussent supporter une telle injustice sans prendre les autres à la gorge ou mettre le feu à leur maison ».

Par la suite, Montaigne avait eu longtemps auprès de lui « un homme qui était resté dix ou douze ans dans cet autre monde qui a été découvert dans notre siècle, à l'endroit où Villegaignon débarqua, pays qu'il surnomma la France Antarctique ». Les récits que lui faisait cet homme, de ce Brésil qui n'existait pas encore, avaient posé le fondement de sa pensée humaniste. Il leur avait ajouté sa lecture de l'*Histoire générale des Indes* de Francisco López de Gómara pour collecter les exemples les plus grands de la diversité des mœurs, les plus choquants pour ses contemporains. Il décrivit ces contrées « où les femmes vont à la guerre avec leurs maris et ont leur place non seulement au combat mais aussi au commandement. Où non seulement les bagues se portent au nez, aux lèvres, aux joues et aux orteils des pieds, mais des tiges d'or bien pesantes au travers des tétins et des fesses. Où, en mangeant, on s'essuie les doigts aux cuisses, à la bourse des génitoires et à la plante des pieds ».

Il sait heurter son lecteur et loue ces pays « où l'on salue en mettant le doigt à terre puis en l'élevant vers le ciel, où les hommes portent les charges sur la tête, les femmes sur les épaules ; elles pissent debout et les hommes accroupis ». Il mêle des exemples pris dans Hérodote, écrit cet ailleurs absolu, pose le relativisme culturel et l'universalité humaine, « ailleurs encore les femmes sont en commun sans qu'il y ait péché ; et même, dans tel pays, elles portent comme marque d'honneur, sur le bord de leurs robes, autant de belles houppes frangées qu'elles ont approché de mâles ». Il entend prôner ainsi la tolérance et le respect, affirmer que chaque personne humaine est unique et admirable par-delà les particularités de son peuple, que ce qui semble évident ici devient là-bas curieux, et que ces Indiens, si différents, ne nous sont « nullement inférieurs en clarté d'esprit naturelle et en justesse ».

Parmi toutes ces étranges coutumes qu'il énumère dans les *Essais*, il en est une cependant à laquelle on imagine que ne saurait souscrire un bon fils français : « là c'est un devoir de piété de tuer son père lorsqu'il a un certain âge ».

père & fille

Non loin de l'hôtel Glória, la large avenida Princesa Isabel rejoint à angle droit l'avenida Atlântica qui longe la plage de Copacabana. À ce croisement se dresse la statue de l'Infante, plume à la main. Ce qu'elle vient de signer avec cette plume en bronze c'est la loi d'abolition de l'esclavage. Celle-ci est tardive. C'est mai 1888. La princesse assure la régence. Son père l'empereur dom Pedro II n'était pas parvenu à imposer cette abolition au gouvernement malgré sa menace d'abdiquer. Il est en Europe et malade. Le vieil homme à la curiosité encyclopédique, qui toute sa vie aura entretenu une correspondance avec les artistes et les savants dont il étudie les livres et les œuvres, avec Louis Pasteur et Charles Darwin, avec Friedrich Nietzsche et Ludwig Wagner, est mourant à Milan. L'annonce du succès de sa fille le requinque. Il rentrera au Brésil. Pour peu de temps.

Dans son roman amazonien *La Jangada*, Jules Verne faisait l'éloge du Brésil et de ce « vaillant petit peuple. C'est maintenant l'un des plus grands États de l'Amérique méridionale, ayant à sa tête l'intelligent et artiste roi dom Pedro ». Nul doute que celui-ci, lecteur des *Voyages extraordinaires* comme tout Brésilien lettré, fut sensible au compliment. C'est cependant Victor Hugo qu'il vénère.

Au début de 1872, après la Commune, et alors que le poète envoyé en exil par la haine d'un autre empereur était plongé dans la vie politique, ils n'étaient pas parvenus à se rencontrer, bien que Pedro II eût confié à Théophile Gautier : « Mon voyage en Europe me semblera manqué si je ne vois pas Victor Hugo. » Cinq ans plus tard, celui-ci écrit dans son journal : « 9 heures du matin. Visite de l'empereur du Brésil. Longue conversation. Très noble esprit. Il a vu sur une table *L'Art d'être grand-père*. Je le lui ai offert, et j'ai pris une plume. Il m'a dit : Qu'allez-vous écrire ? J'ai répondu : Deux noms, le vôtre et le mien. Il m'a dit : Rien de plus. J'allais vous le demander. J'ai écrit :

À don Pedro de Alcantara
VICTOR HUGO

Il m'a dit : Et la date ?
J'ai ajouté :

22 mai 1877 ».

Le même jour, il écrit cette phrase quelques lignes plus bas : « À deux heures je suis allé à la réunion de l'extrême gauche du Sénat. » Et une semaine plus tard, le 29 mai, alors qu'il vient à nouveau de passer la journée avec les sénateurs d'extrême gauche : « En rentrant j'ai trouvé l'empereur du Brésil qui venait dîner avec moi. »
Après l'abolition de l'esclavage par sa fille, l'empereur avait été renversé par les grands propriétaires et les rois du café, lesquels avaient fomenté le coup d'État. Pierre II avait abdiqué, s'en était allé traîner sa saudade en Europe, était mort à Paris. Le président de la République Sadi Carnot

lui avait offert des funérailles nationales six ans après celles
de Victor Hugo. Et devant cette admiration réciproque du
vieil empereur et du poète soutien de l'extrême gauche
et ami de Garibaldi, je songeais à la phrase de Bernanos
quelques dizaines d'années plus tard au Brésil, se disant
« socialiste proudhonien attiré par la monarchie ».

à bord

Quelle que soit l'embarcation, navire ou barcasse, pirogue ou sampan, il me semblait vivre mieux sur quelque chose qui flotte. Allongé dans la cabine, me revenaient toutes ces histoires comme un ravinement de la mémoire le long d'une falaise, des petites rigoles qui dégoulinaient vers le lit du grand fleuve : alors que le prix avait rassemblé des écrivains de tout le Brésil, Sébastien Roy avait découvert, en ouvrant dans son bureau du consulat la deuxième enveloppe du lauréat pour le contacter, qu'il était carioca, habitait derrière l'hôtel Glória.

Le manuscrit d'Antônio Dutra, *Dias de Faulkner*, disait le séjour du romancier à São Paulo en 1954. Trente ans après Blaise c'était Bill. On avait logé William Faulkner dans le meilleur hôtel, l'Esplanada. Malade et souvent ivre, il avait refusé presque tous les rendez-vous, au désespoir des diplomates états-uniens qui espéraient l'utiliser pour redorer leur blason. Quelques semaines plus tôt, fin juin, à la demande de la United Fruit et des grands propriétaires, la CIA avait manipulé l'homme de paille Carlos Armas et renversé le président guatémaltèque Jacobo Arbenz pour mettre fin à sa réforme agraire, arguant de la menace communiste en ces années de la Guerre froide.

L'image des États-Unis est au plus bas dans toute l'Amérique latine lorsque le petit homme élégant, le dimanche 8 août 1954 à six heures et demie du soir, descend l'échelle du DC-6 quadrimoteur de la Braniff Airways. William Faulkner arrive de Lima après une escale à Rio. Une photographie est prise à cet instant. Sa main droite est posée sur la lisse de la passerelle, sur son bras gauche un imper et à la main une mallette un peu ridicule par ses dimensions, genre boîte à chaussures avec poignée ou vanity-case, laquelle contient peut-être quelques flacons de Jack Daniel's en prévision.

Faulkner fait quelques pas sur le tarmac du petit aéroport de Congonhas, s'assoit à l'arrière de la Cadillac-54 près du consul qui lui remet une feuille de route. Il dit qu'il ne fera rien, qu'il ne se sent pas très bien. Depuis cinq ans il est prix Nobel. Tous les jours. Du matin au soir. Il en a sa claque de rejouer dans des mises en scène de plus en plus pitoyables la cérémonie de Stockholm. Dans quelques mois ce sera le Nobel d'Hemingway. On lui lâchera les basques. Les diplomates s'en mordront les doigts. Celui-là ne sera pas davantage sobre ni manipulable. Pendant tout le séjour de Faulkner au Brésil, les journaux sont emplis du scandale de l'attentat contre le journaliste Carlos Lacerda à Copacabana. Peu à peu l'enquête implique la présidence. On réclame la démission de Getúlio Vargas.

Avec Antônio, alors que depuis quelques jours naissait entre nous une complicité, peut-être même déjà quelque chose comme de l'amitié, nous étions partis pour São Paulo préparer l'édition du livre, acquérir les droits de cette photographie de Faulkner parue à l'époque dans la presse locale et que nous souhaitions placer en couverture. Le soir nous parlions de ces coïncidences dont sont tissées nos vies : alors qu'il se préparait à partir pour Saint-Nazaire à l'occasion de cette parution, il me confiait avoir travaillé, étudiant, sur l'œuvre de l'écrivain brésilien Harry Laus, lequel avait écrit à Saint-Nazaire *La Première Balle*. Dans son livre, Antônio reprenait les mots que Faulkner aurait prononcés dans le hall de l'Esplanada devant de jeunes écrivains, un jour qu'il avait consenti à quitter sa chambre : « Les artistes sont liés par une espèce de chaîne dans le temps et l'espace, une génération commence à peine à vieillir qu'une autre surgit déjà pour continuer l'œuvre de la précédente, perfectionnant et réalisant ce que la génération antérieure n'a pas pu faire ou a mal fait, parfois... Ça arrive. »

Quelques jours après le départ de Faulkner, en ce mois d'août 1954, le président Getúlio Vargas s'était suicidé d'une balle en plein cœur. Le pyjama troué est exposé au Museu da República. De retour à Rio pour la remise du prix à la Maison de France, alors qu'avec Antônio nous nous rendions un après-midi au Jardin botanique où sont rassemblées toutes les essences du pays, nous étions passés rue Tonelero où avait eu lieu l'attentat contre le journaliste. Puis je nous revoyais à Lagoa ou dans les petits restaurants de Botafogo. J'entendais la pluie frapper les parois de la cabine. Plus vieux de dix ans, allongé sur ma couchette à bord de la *Jangada*, je tendais la main et attrapais Montaigne.

Même s'il loue toujours en sa vieillesse le premier livre qu'enfant il avait lu seul, les *Métamorphoses* d'Ovide, ses deux auteurs sont Sénèque et Plutarque. Il y grappille, papillonne, butine, « un peu de chaque chose et rien à fond, à la française ». Il revendique les emprunts lorsque les phrases sont à son goût, « la vérité et la raison sont communes à chacun et n'appartiennent pas plus à celui qui

les a dites la première fois qu'à celui qui les dit après »,
de tout cela il fait son butin, « les abeilles pillotent de-çà
de-là les fleurs, mais, après, elles font le miel qui est entièrement leur ».

Ce grand livre décousu des *Essais* avait installé en Europe
la pensée humaniste et il me semblait que nous vivions
la disparition de celle-ci, la fin du rêve égalitaire devant
l'explosion démographique, la raréfaction des ressources,
l'apparition d'une humanité augmentée laissant les milliards
de sous-hommes s'entretuer pour un peu de nourriture et
d'eau potable au milieu des décharges. Contrairement à
mon père, à son père et au père de celui-ci, ma vie n'avait
pas été bouleversée par les guerres en Europe, j'espérais
que Pierre pourrait écrire la même phrase. Mon optimisme
était chancelant.

De loin en loin, il posait son livre ou fermait son carnet,
sortait gommes et crayons, reprenait le dessin. Des paysages
ou des insectes, des cargos. Un matin, il m'avait laissé seul
avec Montaigne sur une plage déserte envahie de mouches,
pour aller escalader une colline en compagnie d'un
Allemand de nationalité brésilienne, ancien des commandos
de la jungle. Alors qu'il marchait jusqu'au canot, Pierre
avait fait demi-tour, m'avait apporté une cape de pluie.
Ma lecture était perturbée par l'inquiétude d'être ainsi
abandonné. L'île était éphémère, isolée en cette période
des hautes eaux. J'imaginais pouvoir retrouver le banc de
sable en tâtant du pied, craignant raies torpilles et candirus,
rejoindre la terre ferme, de l'eau jusqu'à la poitrine et le
volumineux exemplaire de l'édition « Quarto » au-dessus
de ma tête, tenu à deux mains comme une arme qu'on
préserve. Il n'avait pas plu. Pierre était revenu.

avec Antônio

L'an passé, nous avions quitté le sud et Paraty pour rejoindre Rio par la route. Pierre et Antônio s'étaient rencontrés dix ans plus tôt à Saint-Nazaire, ne s'étaient pas revus depuis. Nous montions à Santa Tereza, marchions le long des rails du tramway jaune, sous les poteaux électriques envahis de singes sagouins jusqu'au parc des Ruines, imaginions la demeure du temps qu'il y avait là tout ce qu'il fallait, des portes et des fenêtres, un piano à queue et des verreries de Lalique, des robes de soirée et des nœuds papillons, Anatole France et Isadora Duncan, Heitor Villa-Lobos et Blaise Cendrars, depuis la terrasse nous regardions Rio tout en bas, et l'hôtel Glória définitivement fermé, menacé lui aussi par la ruine, ou en attente d'une très éventuelle restauration.

Parmi les cordes à son arc, Pierre jouait ici de la photographique, courait les rues avec son appareil, en compagnie de Samuel Titan visitait l'Institut Moreira Salles d'histoire de la photographie et les musées, les expositions des photographes José Medeiros, Thomaz Farkas, Hans Günter Flieg et surtout Marcel Gautherot. Parfois je me joignais à eux. Si pour Pierre ces expéditions étaient artistiques, elles étaient aussi documentaires, grâce auxquelles je voyais ces villes de la ruée vers l'or du Minas Gerais, Ouro Preto, Rio das Velhas, lieux écumés par les bandeirantes, ramassis de racailles et d'aventuriers qui partaient à cheval dans la campagne à la chasse aux esclaves, bannières brandies, bénies dans les églises comme raffineries en flammes ruisselantes d'or et de piété, de pleurs et d'ex-voto, églises élevées pour implorer la miséricorde du Senhor Bom Jesus et se faire pardonner leur vie peccamineuse par l'érection aussi des grandes statues en stéatite de la cathédrale de Congonhas do Campo, œuvres d'Antônio Francisco Lisboa dit l'Aleijadinho, le Bancal, le Boiteux, l'Estropié, fils difforme d'un menuisier portugais et de son esclave noire, infirme maniant marteaux et ciseaux liés à ses moignons par des lanières de cuir, l'Aleijadinho qui sans doute aujourd'hui ne naîtrait pas, puisque le génie n'est pas détectable par résonance magnétique : on n'oserait pas même présenter aux parents les images échographiques avant de balancer le petit monstre à la poubelle.

Après cette folie de l'or était venue celle du café. Les esclaves étaient passés de la mine au champ. Si l'Europe avait acclimaté nombre de végétaux du Nouveau Monde, le café avait été imposé à celui-ci tel un fléau abattu sur son sol. C'est qu'il y a loin de l'arbuste au percolateur. Tout avait commencé par un berger assis devant quelques chèvres d'Abyssinie, hystériques de s'être enfilé les baies rouges d'un arbuste. Le berger, qui s'ennuie, les envie. Ça n'est pas très bon. Surtout c'est sans effet. C'est dans le noyau que ça se passe. L'homme recrache, baisse rarement les bras quand il s'agit de donner du piquant à sa vie. On grille les deux grains du noyau, les écrase dans l'eau bouillante. Les Arabes chargent leurs boutres de ces cerises excitantes. On tentera plus tard de prohiber le breuvage, au Caire puis à Istanbul. C'est peine perdue. On renforce au contraire l'effet psychotrope du jus noir en le mêlant à la cardamome. Au contact des Turcs ouvrent les premiers cafés viennois. Voilà le lieu et la boisson associés. Ils stimuleront la conversation, bientôt la rédaction des pamphlets et des libelles. Par un de ces paradoxes dont l'histoire de l'humanité est friande, ces grains, cueillis par des esclaves, avaient favorisé l'apparition de l'esprit libéral en Europe, l'addiction à la liberté d'expression.

C'est par le vol, en maintes occasions, que s'était assouvie cette frénésie du déplacement et de l'acclimatation des espèces végétales. On prétend que, bien avant le voyage de Marco Polo, les Chinois jaloux cachèrent aux premiers étrangers les cocons de soie du mûrier, et que deux moines en rapportèrent pourtant un, caché dans un bâton creux de pèlerin. Pour le café brésilien, c'est la légende du gouverneur cocu de Cayenne que reprend Zweig dans *Brésil, terre d'avenir*, et de cette épouse qui, « pendant ou après une heure d'abandon, offrit quelques plans et racines de café au sergent-major portugais Francisco de Mello Palheta. Transporté au Brésil, l'arbuste y prit vite pied, comme font tous les immigrants ». On ne peut cependant ni gagner ni perdre à tous les coups. Plus tard, un jeune Anglais, Henry Wickham, avait récolté des graines amazoniennes d'hévéas pour les envoyer planter en rangs d'oignons sur les terres asiatiques et ruiner le Brésil.

au centre du monde

Si beaucoup de plantes américaines avaient traversé l'océan avec bonheur, étaient parties prendre racine en Europe et y proliférer à tel point qu'on pourrait les croire endémiques, produits aussi succulents que la pomme de terre et la tomate, le maïs et le piment, le haricot et le tabac, la malédiction du dessert, cacao, sucre et café, s'était de son côté cantonnée aux tropiques. C'est par la banane que j'avais abordé le Brésil, et la lecture du livre de Pero de Magalhães de Gândavo, *História da província Santa Cruz a que vulgarmente chamamos Brasil*, ouvrage édité en 1576 à Lisbonne, quatorze ans après la rencontre de Montaigne et des Indiens, ouvrage dans lequel, au milieu de celles de monstres marins farfelus, l'auteur offre la description du fruit au goût incomparable, dont il recommande fort la dégustation à ceux de ses contemporains qui seraient amenés à traverser la grande mare.

Dans une chambre de l'hôtel Morgut de Managua Nicaragua, j'avais entamé cette lecture le 21 février 1997 avant de l'achever à Montevideo où je résidais souvent à l'époque, enquêtais sur le suicide par arme à feu de Baltasar Brum à l'issue du coup d'État de 1933 – d'une balle en plein cœur comme plus tard Getúlio Vargas. Depuis la capitale, j'avais traversé le territoire de l'Uruguay jusqu'à Chuy, avais fait mes premiers pas en terre brésilienne sans toutefois sortir de ce village frontalier, imaginais alors les quatre mille kilomètres qui me séparaient de Belém à l'embouchure de l'Amazone. Et je voyais à présent cette longue verticale sud-nord parcourue en vingt ans sur le planisphère, par São Paulo, Rio, Brasilia, Recife, puis cette longue horizontale est-ouest sur laquelle nous nous engagions avec Pierre, de Belém sur l'Atlantique à Santa Elena sur le Pacifique, par Santarém, Manaus, Iquitos et Guayaquil, imaginant tout au long du chemin l'invention d'un récit latino-américain dont j'avais décidé qu'il serait le dernier, et pourtant le premier sud-américain, puisque celui que j'avais entamé à Managua ce 21 février 1997 était centraméricain, et le deuxième, achevé à Tampico le 21 février 2014, mexicain donc nord-américain.

Dix ans plus tôt, après avoir quitté Antônio, j'avais gagné la capitale fédérale. Si c'est par hasard que la forme de Venise a pris celle d'un poisson vu du ciel, l'avion de Brasilia fut dessiné de telle façon que, par le hublot, avant l'atterrissage, on vît un avion vu d'avion. À bord de ce vol se trouvait le cinéaste allemand Wim Wenders qui venait de déclarer dans *La Folha de São Paulo* son désir d'adapter un roman d'Álvaro Mutis, les aventures amazoniennes de Maqroll le gabier. Il ne semble pas, à la lecture de sa filmographie, que ce projet ait depuis abouti, pas davantage que celui de Cendrars, lequel, parmi ses nombreuses tentatives qui allaient capoter, aussi diverses que l'importation de carburant et l'éradication d'un parasite des caféiers, avait imaginé tourner ici un film sur l'histoire du Brésil jusqu'à la création de la nouvelle capitale.

Si la décision d'abandonner Rio figurait déjà dans la première constitution qui avait suivi la destitution de dom Pedro II, elle fut mise en œuvre dans les années cinquante par Juscelino Kubitschek, ami de Bernanos du temps qu'il était le maire de Belo Horizonte, devenu président après le suicide de Getúlio Vargas. À la sortie de l'aéroport, cette ville dont on ne pourrait deviner, si on y arrivait en train ou à cheval, que son tracé est un aéroplane, offrait au sol de larges avenues, de l'eau très bleue au bas des collines, des grands rapaces dans le ciel pur. On vendait aux feux rouges des journaux, du dentifrice et des fraises en barquettes. Les bâtiments d'Oscar Niemeyer arboraient le drapeau national vert et jaune et bleu et la phrase d'Auguste Comte, Ordem e Progresso. La capitale était toujours en construction. On venait d'inaugurer la Bibliothèque nationale.

La ville semblait paisible mais pas tant que ça : un soir qu'avec Antônio Miranda, directeur de cette Bibliothèque nationale, nous quittions l'aile droite du fuselage pour rejoindre en plein cœur de la carlingue le Clube de Choro, après qu'il s'était trompé d'allée, avait arrêté son tout-terrain sur une bordure herbeuse, un peu agacé, avait décidé d'abandonner là le véhicule, et que nous allions marcher un peu, un couple de jeunes gens bien habillés l'avait mis en garde sur la probable disparition du véhicule dès que nous aurions le dos tourné. Il avait vécu à Caracas où il faisait du théâtre, m'apprenait que la bossa nova fêtait ses cinquante ans, m'expliquait sa distinction d'avec la samba, les musiciens reprenaient *A Garota de Ipanema*.

À mon retour, depuis la terrasse au dix-huitième étage du Tryp Brasil 21, j'avais vu d'un coup la demi-lune comme une vasque d'or se lever en plein ciel, jaune, superbe et démesurée dans l'immense profondeur du ciel noir électrique, demi-lune qui scintillait, se reflétait en zébrures molles et ondulées dans la piscine suspendue comme emplie de mercure de l'hôtel San Marco un peu plus bas. L'ensemble paraissait le décor d'un film futuriste de Tati dans lequel veillaient sur nous, pauvres humains, les anges transparents de Wenders, perchés, silencieux, au sommet des tours de verre, compatissants.

Si le Diable existait, il pourrait avoir son bureau en haut de l'une de ces tours dans le cockpit de la capitale du monde, devant des écrans où s'agitent des courbes graphiques, s'inscrit en temps réel le décompte des morts et des naissances du jour, que le tyran décide ainsi que les déraillements des trains et les éruptions volcaniques, les tsunamis, les cours des Bourses qu'il fixe et les épidémies qu'il déclenche, les belles amours qu'il brise en ricanant, il est débordé, au four et au moulin, consulte sa montre, doit encore choisir le prix du baril de Brent, les résultats des courses de chevaux et des matches de football et les tirages des loteries, il voit tout c'est lui qui tranche, en vitesse signe des chèques, appose des tampons, passe un dernier coup de fil, réserve une table, paraphe le grand Livre du jour, mais chaque jour deux dates sont en fonction sur la planète, il regrette d'avoir créé ça si compliqué, cette histoire des méridiens, repousse son fauteuil, enfile sa veste, tâte ses poches. Where is my gun ?

en forêt

Moteur à l'arrêt, nous écoutions les bruits du ruissellement, le goutte-à-goutte de feuille en feuille, des cris d'animaux. Comme les ornithologues font une coche sur leur carnet à l'apparition d'un oiseau, ou comme dans les livres destinés aux enfants sont associés les noms et les images simplifiées, nous apprenions à prononcer l'alphabet des grenouilles, palmes, anacondas, perroquets, agoutis, singes, caïmans, paresseux, pumas, euphorbes, tout cela que nous ne pourrions plus voir sans le Douanier Rousseau qui ne l'a jamais vu.

Plusieurs jours après qu'il était allé gravir cette colline au-dessus du rio Tapajoz, j'avais accompagné Pierre pour une marche en forêt. Depuis la rive nous nous enfoncions dans la jungle sablonneuse, en quelques kilomètres nous nous élevions au-dessus de la rivière qui apparaissait au hasard des trouées. Après deux ou trois heures, nous avions atteint la terre noire de la forêt primaire et les arbres qui pour certains étaient là avant l'arrivée des Portugais. Grand apparat des lianes et des plantes épiphytes, rais de lumière verticale entre les troncs immenses du piquiá, du sumaúma, dont toute une tribu se donnant la main pouvait embrasser la circonférence et se livrer aux rituels animistes, figuiers étrangleurs avaleurs de palmiers et autres verticalités dendroïdes.

Nous étions attentifs à ne pas transformer cette marche épuisante en l'un de ces défis corporels si communs chez les grands mammifères rouleurs de mécaniques, combat de cerfs emmêlant leurs bois, un vieux mâle déjà sexagénaire et l'autre presque trentenaire et dans la force de l'âge. Nous avancions silencieux, suant et ahanant côte à côte ou à la file sur cette planète en train de mourir et nous aussi, économisions le souffle, un peu les dents serrées, les muscles fondant sous la chaleur humide. Nous étions revenus dormir à bord, les jambes bouffées par les bestioles, songeant que tout cela valait bien d'endurer les piqûres de guêpes et de moustiques et autres saloperies que nous finirions par aimer maintenant que nous les savions en voie de disparition. Nous avions sorti notre réserve d'alcool et répétions les phrases de Beckett : « Nous ne voyageons pas pour le plaisir de voyager que je sache, dit Camier. Nous sommes cons, mais pas à ce point-là. »

Fumant des cigarettes et reprenant notre souffle, nous asséchions la fiole de raide en essayant de prononcer sans erreurs le dicton brésilien « cemitério, cadeia, cachaça não é feito para uma só pessoa », selon lequel la consommation de cachaça préserve à coup sûr toute personne de ces deux menaces que sont la mort et la prison. La fatigue et l'absorption du breuvage atténuaient peu à peu notre timidité réciproque, déclenchaient nos rires. Plus tard, Pierre reprenait silencieux ses carnets.

au Pernambouc

Le mardi 1er août 2017, alors qu'avec Pierre et Antônio nous quittions en taxi Praia Vermelha au pied du Pain de Sucre de Rio, lequel est de composition gneissique (granitoïdes déformés), ainsi qu'on le découvrira dans les lignes qui suivent, pour regagner Ipanema, j'avais reçu un courrier sur mon téléphone. Celui-ci était envoyé « aux soins obligeants des éditions du Seuil » par Jacques Kornprobst que je ne connaissais pas. Il venait, écrivait-il, d'achever la lecture de *Sic transit* et, après la mention du goût qu'il nourrissait pour les livres sans fiction, en venait aux récriminations : « ce message est toutefois destiné à prendre la défense de la tectonique des plaques injustement mise en cause (*Équatoria*, *leve-leve*, page 335) ».

Ces phrases qu'il mentionne, que je dois bien recopier ici, même si cette pratique est contraire à tout usage, afin qu'on y comprenne quelque chose, concluaient un chapitre écrit en 2006 à São Tomé e Príncipe, dans ces moments où je fréquentais en alternance ces deux rives de l'océan, pestant lorsque j'étais d'un côté de ne pas être de l'autre : « À l'horizon, les eaux de l'Atlantique sont déjà noires comme de l'asphalte, sans obstacle jusqu'au Brésil en face. On voit bien ici que cette île n'est pas sur sa bonne longitude, et que la tectonique n'est pas infaillible. Que la plaque américaine, en s'arrachant à l'africaine, aurait dû entraîner les deux îles avec elle. On devrait les apercevoir juste derrière le Pain de Sucre, chaque soir qu'on prend un verre sur la terrasse du fabuleux hôtel Glória, à Rio de Janeiro. »

« Écrivant ce paragraphe, ajoutait Jacques Kornprobst, vous avez été victime d'une double illusion. » Suivait un développement auquel on ne peut que souscrire, c'est de la poésie utile rimbaldienne : « La séparation de l'Afrique et de l'Amérique du Sud a débuté il y a environ 140 millions d'années (au Crétacé inférieur) ; à cette époque les îles de São Tomé e Príncipe n'existaient pas, et ne risquaient donc pas d'être associées à la plaque américaine. Ces deux îles en effet font partie de la "ligne du Cameroun" (qui comporte aussi le mont Cameroun et le cratère du lac Nyos) qui a commencé à fonctionner à l'Oligocène, c'est-à-dire il y a 30 millions d'années environ ; les âges les plus anciens déterminés à São Tomé sont de 18 millions d'années, mais les parties sous-marines de l'île sont sans doute un peu plus vieilles. Quoi qu'il en soit, ces deux îles appartiennent à la plaque africaine et sont postérieures à la déchirure continentale. Elles sont totalement sur la bonne longitude.

« Les formes de relief en pain de sucre qui caractérisent Rio, et celles par exemple du Black Peak de São Tomé, n'ont rigoureusement rien à voir les unes avec les autres : c'est une convergence de formes. Les premières sont liées à une altération tropicale ayant affecté des terrains anciens (plus de cinq cents millions d'années) généralement gneissiques (granitoïdes déformés). Les secondes sont des formes d'intrusions phonolitiques, généralement assez jeunes, telles qu'on en connaît en Atakor, à la Gomera (aux Canaries), mais aussi en France (Tuilière et Sanadoire, mont Gerbier-de-Jonc). Le puy de Dôme (10 000 ans), constitué de trachytes, plus riche en silice que les phonolites, a une forme similaire. Les réels points communs entre Rio et São Tomé sont la végétation tropicale (mais c'est une question de latitude, et non pas de longitude), et le récent colonisateur portugais. »

J'avais attendu plus d'un an pour savoir qui était ce lecteur si sourcilleux, l'avais appris volcanologue, directeur de l'Observatoire de physique du globe de Clermont-Ferrand, lui avais fait part de mon souhait de citer son courrier, et de cette coïncidence qui m'avait fait recevoir celui-ci à Rio, non loin de cet hôtel Glória. Pris en défaut sur cette affirmation un peu stupide de ne pas écrire de fiction, je justifiai auprès de lui cette rêverie qui me semblait davantage historique, plutôt que géographique, renvoyait aux adhérences artistiques plutôt que géologiques, à la langue portugaise et à la littérature de cordel, au Tchiloli, cette unique pièce de théâtre jouée chaque année à São Tomé depuis le seizième siècle qui fut celui de Montaigne, et dont les rôles se transmettaient depuis de pères en fils.

Peut-être aussi avais-je été abusé par la lecture d'un article, dans lequel une étude des fossiles de trilobites démontrait que des morceaux de l'ancienne Europe étaient restés collés à l'est américain comme des morceaux de l'ancienne Amérique à l'ouest européen, que le mouvement des continents semblait être en accordéon, et que nous glissions sur ces radeaux à la dérive comme singes et lézards affolés sur les bouquets de jacinthes d'eau entraînés par le courant. Mais surtout je l'avais été, abusé, par la dérive des continents culturels, les habitudes que je savais de José

Eduardo Agualusa, par exemple, écrivain souvent entre Luanda en Angola et Olinda au Pernambouc.

Poursuivant une progression vers le nord et Recife, j'avais séjourné à la Pousada São Francisco de cette banlieue d'Olinda, rua do Sol, manière d'auberge de jeunesse dotée d'une petite piscine où il faisait bon barboter sous la pluie chaude et les hibiscus jaunes, dont les fleurs tombées dansaient à la surface de l'eau, dans cette ville qui avait été, du temps de ces dérives coloniales, la cité hollandaise de Maurisstadt, exportatrice du bois brésil dont on fit les meilleurs archets. Je venais retrouver ici la poétesse Lucila Nogueira aujourd'hui disparue, mais dont le prénom demeure pour moi associé à sa ville. Deux ou trois averses par jour, brèves et violentes, lavaient de leur poussière les philodendrons entortillés en spirales sur les troncs. Nous remontions en barque les méandres infinis de la rivière où la mer à chaque marée nettoyait les vases putrides et les détritus accumulés dans les mangroves et lagunes, où marchaient doctement de grands hérons blancs et des aigrettes au milieu des gobelets en plastique, devant les baraques palafittes des pêcheurs de crabes.

Un soir que nous dînions tout en haut d'un immeuble au-dessus du boulevard de mer Boa Viagem, alors que, depuis la baie vitrée, nous admirions la phosphorescence des hautes vagues levées sur les récifs, comme éclairées par le dedans d'une flamme verte, un océan d'absinthe, mentionnions l'étymologie arabe de cette ville, Lucila disait que celle-ci, noire et verte, était la nuit d'une beauté baudelairienne. Elle affirmait aussi que l'herbe qu'on fumait à Recife était la meilleure du monde, meilleures les langoustes qu'on y pêchait. Elle m'avait traîné au cinquantième anniversaire de l'Association des écrivains du Pernambouc dans le vieux fort portugais, surtout des poètes, mais en nombre infini, comme par génération spontanée. Plus loin, où se tenaient autrefois les entrepôts et magasins d'accastillage, cordages et barils de poix, filets de pêche, moteurs et hélices, devenus boutiques de luxe et même une librairie, nous avions rencontré par hasard notre ami commun Milton Hatoum, que j'espérais retrouver cette année avec Pierre à Manaus.

Depuis ce quai, du temps que ces bâtiments étaient encore ceux du port de Recife, Cendrars embarque. Il s'en va. C'en est fini du rêve des terres brésiliennes qu'il voulait offrir à son fils, vers Lagoa Santa, Serra do Cipo, des lacs, des forêts, des brousses qu'il imaginait défricher, planter, borner, dans un délire californien à la Johann August Suter. Ça aussi, c'est dans la malle, *L'Or*, il faut s'y mettre, et aussi à *Moravagine*, les Indiens bleus. Il n'écrira jamais son *Lampion*. Il est assis dans un bistrot du port, un dernier verre, entend le bruit des chaînes d'ancre dans les écubiers si le navire est au mouillage, les appels à virer les haussières s'il est à quai, monte à bord du *Gelria*, paquebot hollandais en partance pour les Canaries puis Cherbourg. Cendrars rentre avec des singes, sagouins et ouistitis, et des oiseaux en cage. Ceux-là mourront pendant la traversée ou à leur arrivée dans l'hiver de Paris. On pensait encore que le peuple des singes et des oiseaux et de tous les animaux était inextinguible.

père & fils

N'ayant aucune confiance dans la justice
publique, j'ai résolu de faire justice moi-même,
c'est-à-dire de venger la mort de mon père.

LAMPIÃO,
entretien avec le journaliste
Oracílio Macedo, 1926

Sur un petit marché, en compagnie de Lucila, et sur son conseil, j'avais acheté de la littérature de cordel, des petits livrets verticaux de quelques pages, parmi lesquels un texte de Francisco Zenio, *Os 50 Anos de Muerte de Lampião*, illustré d'une gravure sur bois montrant la tête stylisée mais reconnaissable du héros, ainsi qu'une huile sur toile du couple de bandits légendaires, Lampião et Maria Bonita, tous les deux le fusil à la main.

Toujours sur la paille à son retour du Brésil, sans même pouvoir faire le tour des oiseleurs, Cendrars signe à tout-va des contrats pour toucher les avances, parmi lesquels ceux d'*Équatoria* et de *Lampion*. S'il laissera le premier titre en désuétude, que je reprendrai pour un livre africain, il s'acharnera longtemps sur le second, écrira le 27 août 1938 à son éditeur : « Ce matin je me suis remis à Lampion, car cela urge. » Pas tant que ça. En 1953, il annoncera encore la parution prochaine de *Lampion le cangaceiro*, sous-titré *Le démon de l'aventure*.

Celle-ci, d'aventure, avait eu pour cadre le Sertão, le grand désert, desertão, de ce Nordeste de plaines sèches et de vaches maigres et de rivières d'eau tiède. Si le Mato Grosso est la Grande Brousse, terme paysagiste de savanes et d'herbes coupantes, le terme de Sertão est davantage encore psychologique, évoque ces contrées sauvages et éloignées, ces terres maudites et semi-désertiques qu'on lit chez Euclides da Cunha dans *Os Sertões*, chez João Guimarães Rosa dans *Grande Sertão : Veredas*, rocailles, arbres rabougris, peaux de vache à sécher sur les clôtures. Depuis des siècles, des traîne-savates et crève-la-faim ont échoué en ces lieux inhospitaliers, se sont mêlés aux Noirs et aux Indiens, sont devenus cabocles.

Éloignés de la côte, de la miséricorde divine et de toute administration, oubliés, ces hommes avaient recréé une société clanique et machiste et cruelle : à la tête de l'élevage le fazendeiro, propriétaire, pour le seconder le vaqueiro qui veille au cheptel. Celui-là est l'homme à la virilité prestigieuse, le castreur de taureaux que voudrait devenir tout gamin, plutôt que morador, paysan sans terre ni droits, ouvrier agricole, propriété meuble de l'exploitation. Les familles sont rivales et luttent pour le pouvoir. L'un des patriarches est désigné ou se désigne à coups de carabine « coronel » ou potentat local. Il rend la justice, que conteste le cangaceiro, le bandit d'honneur, le redresseur de torts, le bras armé des vengeances, pour des histoires de vaches ou de femmes volées, de dettes non recouvrées. Les assassins du père, prétend le fils, dînaient à la table du coronel.

C'est un bel adolescent, Virgulino Ferreira da Silva, maigre et large d'épaules. Sa peau sombre de sang-mêlé d'Indien le désigne, dans le lexique complexe des distinctions raciales alors en vigueur, comme un « cap-vert » ou « caboclo moreno ». Il est grand, un mètre quatre-vingts, élégant, les traits fins, longs cheveux noirs qui lui tombent sur les épaules. Il a perdu un œil sur une épine de jurema, porte des lunettes rondes d'intellectuel qui vont concourir à la légende. Selon celle-ci, c'est sur la tombe de son père, le 5 juillet 1920, qu'il prend le nom de Lampião, la Lueur, la Lanterne qui va illuminer tout le sertão du Pernambouc.

Il jouit déjà d'une notoriété locale, quelques années après avoir, avec plusieurs de ses frères, intégré le banditisme, le cangaço, et vengé l'assassinat de son père, lorsque l'armée fédérale qui combat la colonne Prestes enrôle des groupes de bandits pour constituer de soi-disant « Batalhões patrióticos ». On arme ces milices, échange leurs vieilles pétoires contre des fusils modernes et des caisses de munitions, offre à ces mercenaires réhabilitation et amnistie. Lampião se voit promettre le grade de capitaine, parade en ville à la tête de ses hommes, à Juazeiro. Il est acclamé par la population, reçu par les édiles. La colonne Prestes est repoussée vers le Minas Gerais. Ces supplétifs sont devenus encombrants. On les trompe, oublie les galons. Ils retournent dans la clandestinité.

Mais Lampion a pris goût à la lumière, à la ville, même si ce sont des bourgades, au cinéma. Il voit *Le Fils du cheik* au cours de sa brève vie publique, est ébloui par le faste vestimentaire de Rudolph Valentino, voilà son héros. Il veut devenir une vedette, invente son image, dessine ses tenues extravagantes. Sa troupe compte bientôt une centaine d'hommes et ils sont renouvelés. Afin d'entretenir le bruit qui court de leur invincibilité, les morts au combat sont toujours récupérés et on donne leur nom aux nouvelles recrues. Lampion met en place l'intendance de l'approvisionnement, le vol des chevaux, la logistique et la stratégie des razzias. Pour la première fois, un groupe de cangaceiros admet les femmes et des couples se forment, des enfants naissent. Lampião établit les codes et l'étiquette de sa cour : égalité entre les femmes et les hommes. Ils sont tous issus de cette société de l'élevage où les hommes, habitués des longues errances derrière les troupeaux dans les herbages, savent puiser l'eau, faire le feu, cuisiner, coudre les vêtements, tanner les cuirs. Au hasard des clairières et des grottes secrètes, il trône au milieu de son peuple, longs cheveux lisses, lunettes à monture d'or et d'écaille de tortue, grand chapeau décoré de médailles pieuses et de pièces d'or, bagues, diamants sur son foulard, gilet brodé incrusté de pierreries, pendus à son cou de petits sacs emplis de prières, « orações fortes ». Il se substitue au prêtre et au roi, exerce les deux autorités temporelle et éternelle, ajoute au pillage l'artisanat de l'enlèvement avec rançon.

Les folhetos de la littérature de cordel font du plus célèbre bandit brésilien un être quasi légendaire, à la fois ange et démon, bon et cruel, immoral et héroïque, homme d'honneur et de monstruosité. S'il n'en est pas l'inventeur, il perpétue la tradition de castration des vaincus ancrée dans les mœurs de cette société d'éleveurs. La punition est appliquée selon la méthode des vaqueiros sur le bétail, suivie d'une désinfection de la plaie à la cendre de bois, au sel et au poivre. On loue sa vaillance et son ardeur au combat, redoute la sorcellerie qui le rend immortel malgré sept blessures par balles. On dit que, dans les villages mis à sac, il descend de cheval pour aller prier à l'église, que le nombre de ses victimes est gravé en ligne dorée sur la crosse de son arme, que celle-ci est nettoyée avec un flacon de parfum de Paris. En 1930, il rencontre Maria, la Jolie Marie, Maria Bonita.

Elle est rieuse et bonne gâchette, s'installe au premier cercle des lieutenants eux-mêmes en couple, lesquels vivent dans un luxe de parvenus. Ils ont adopté comme leur chef ces grands chapeaux de brousse qu'ils portent les bords relevés en bicorne, et qui leur font des allures de généraux napoléoniens. Pour Lampião, les kilos d'or et de bijoux cachés au fond des grottes ne sont plus rien dans la lumière de la gloire qui l'aveugle. Il accepte la venue dans son repaire d'un journaliste, d'un photographe, plus tard, en 1936, le tournage d'un film documentaire. La firme Zeiss, qui soutient l'opération, lui offre des lunettes mieux adaptées à sa vue. Il est le premier bandit sous contrat publicitaire. Des images sautillantes montrent ses hommes comme des mômes mimant des attaques pour rire, des chevauchées dans les paysages secs de cactus et d'épineux et de broussailles. Maria souriante manie le pistolet pendant que Lampião est assis devant une machine à coudre Singer. Grâce au cinéma sa renommée gagne tout le Brésil. On le prétend mort et il apparaît dans toutes les salles. Il est Rudolph Valentino. Il a séduit l'actrice principale.

Ces deux-là donnèrent naissance à une petite fille, s'aimèrent avec passion jusqu'à la mort.

Un an après le tournage du film qui peut-être fut leur perte, en 1937, Getúlio Vargas, qui installe l'Estado Novo, destiné à imposer l'autorité fédérale sur l'ensemble du territoire brésilien, ne peut plus tolérer le cangaço. Il veut en finir avec le couple magnifique qui le nargue. La horde est traquée. Depuis longtemps leurs têtes sont mises à prix, cinquante contos de reis, ce qui doit être une jolie somme, mais surtout c'est le trésor de Lampião qui enflamme l'imagination, suscite les trahisons. Le 28 juillet 1938, une grotte est encerclée, ils sont onze, hommes et femmes, c'est la grotte du premier cercle. On l'arrose de rafales. Les cangaceiros sont décapités par les soldats, mais ce ne sont pas vraiment des soldats, d'autres bougres de vachers des sertões enrôlés de force. L'un d'eux se souviendra que son collègue « Santo coupa la tête de Lampião, et ensuite me prêta le grand couteau afin que je coupe la tête de Maria Bonita, de Marcela et d'Alecrim. Puis nous avons soulevé sa jupe avec le canon du fusil pour voir sa culotte, qui était rouge ». Ils volent les kilos d'or et de bijoux, déguerpissent, ne laissent à l'armée fédérale que les têtes coupées.

Ces trophées sont transportés à Piranhas, puis à Sant'Ana do Ipanema, présentés à la presse et au public, posés sur les marches d'un escalier, après quoi immergés dans le formol. Cette agonie peut-être est leur triomphe. La notoriété de Lampião est internationale. Dès le 31 juillet, trois jours plus tard, l'institut Guillaume II de Berlin, chargé par Hitler des études phrénologiques sur les criminels, sollicite de Getúlio Vargas le transfert du crâne de Lampião, au nom de la collaboration scientifique entre le Brésil et l'Allemagne nazie. S'il avait extradé, deux ans plus tôt, Olga Benário, l'épouse de Luís Prestes, laquelle allait mourir gazée en 1942, Vargas entend conserver comme des reliques nationales les têtes coupées des cangaceiros. Momifiées à l'institut Nina Rodrigues de Salvador de Bahia, elles seront offertes à la curiosité publique jusqu'en 1969.

Malgré cette exposition macabre – et parce que, tout de même, les caboches étaient restées longtemps au soleil avant leur traitement, et paraissaient assez peu ressemblantes –, on continuera d'attendre avec crainte ou espoir le retour de Lampião. Nombre de poèmes et de chansons de cordel, propagés dans les campagnes par les colporteurs au milieu de leur fourbis de mercerie et de vaisselle et de chapelets, nourriront la légende populaire. Le héros demeurera longtemps encore dans la littérature. Peut-être parce qu'elle paraît infaisable du simple point de vue technique, si d'aventure on souhaitait l'adapter au cinéma, une scène du roman de João Ubaldo, *Sargento Getúlio*, paru en 1971, montre un sommet de la barbarie et de l'impossible choix, auquel on aimerait si possible ne pas être un jour confronté : après que les cangaceiros ont pillé la demeure d'un fazendeiro et allumé l'incendie, avant de s'enfuir, ils placent celui-ci debout devant son bureau, les couilles prises dans un tiroir dont ils jettent la clef après l'avoir refermé, posant devant lui un couteau, laissant au cambriolé le choix de s'émasculer ou de mourir carbonisé.

Confrontés au choix terrible de la misère, mourir ici ou aller mourir quand même, mais plus loin, pendant des dizaines d'années, bien avant et après la geste de Lampion, des hommes avaient fui ce Sertão aride et brutal pour tenter leur chance encore plus au nord, vers le grand fleuve. Sans avoir vu les lieux vers lesquels nous naviguions à présent, depuis longtemps j'imaginais la malédiction amazonienne des seringueiros, des seringueurs éparpillés dans la forêt où l'espérance de survie était faible, morts en chemin pour bon nombre et sur place pour beaucoup d'autres, la plupart du temps des hommes seuls, nourrissant le rêve de tous les émigrés d'un improbable retour fortune faite. Après la folie de l'or puis du café, nous allions chercher celle du caoutchouc.

à fond la gomme

Si les premiers Espagnols qui entouraient Hernán Cortés au Mexique s'étaient amusés de ces balles rebondissantes et indéformables des Aztèques, dont ils avaient empli leurs chroniques et leurs bagages, il faut attendre l'arrivée des hommes des Lumières pour en savoir un peu plus. La mission de La Condamine quitte La Rochelle pour Quito afin de mesurer un quart de méridien terrestre à la hauteur de l'équateur, dans ce pays qui, bien plus tard, prendra le nom de la Ligne. En aparté de ses notations géodésiques, on lit dans son rapport en 1736 : « Il croît dans la province d'Esmeraldas un arbre appelé par les naturels Heve. Il en découle par la seule incision une liqueur blanche comme du lait, qui se durcit et noircit peu à peu à l'air... Le même arbre croît, dit-on, le long des bords de la rivière des Amazones. Les Indiens Maïpas nomment la résine qu'ils en tirent Cahuchu, ce qui se prononce caoutchouc », et signifie « les pleurs de l'arbre ».

On commence avec cette matière nouvelle et lacrymale à fabriquer des poires de seringues médicales, des bottes imperméables, des capotes de pluie. Les premiers seringueiros brésiliens depuis Belém avancent plus avant sur le fleuve dans l'espoir de trouver une récolte, mais c'est encore un artisanat de pionniers, le produit n'est pas fiable, souvent se détériore et empeste. Ce qui va bouleverser la vie de l'hévéa, de tout le bassin amazonien et par conséquent celle des Indiens, c'est l'invention par Charles Goodyear du procédé de la vulcanisation en 1839. Lui n'en saura rien, qui meurt ruiné en 1860, l'année même où Étienne Lenoir dépose à Paris le brevet du premier moteur à explosion. Mais il y a loin encore du piston au pneu.

Les Goodyear sont ingénieux. Nelson, le frère de Charles, avait obtenu quelques années plus tôt, en chauffant le caoutchouc avec du soufre fondu, un matériau dur et noir comme de l'ébène. Lewis Waterman commercialise avec ça le premier stylo-plume à réservoir en ébonite et transforme la vie des poètes. Les utilisations de la résine magique se diversifient. C'est la deuxième révolution industrielle. Les nations européennes envoient dans la forêt leurs prospecteurs, rationalisent la production et surtout l'exportation, bâtissent des ports fluviaux, tracent des lignes de chemin de fer, expédient depuis leurs chantiers navals des bâtiments à vapeur. Les pouvoirs locaux en prennent ombrage, réclament leur part du gâteau.

En 1867, le traité d'Ayacucho est censé délimiter les frontières amazoniennes du Brésil, de la Bolivie, du Pérou et de la Colombie. Il n'empêchera pas la guerre du caoutchouc d'éclater à la fin du siècle, parce que l'explosion de la demande est considérable, immenses les fortunes en jeu à la Bourse. Édouard Michelin invente le pneu de bicyclette en 1891, l'année de la mort du poète de Charleville, et nous ne verrons jamais de photos de Rimbaud à vélo. Trois ans plus tard, Michelin adapte son invention à l'automobile, en 1894, l'année où Alexandre Yersin, qui sera le premier importateur d'une voiture à moteur en

Asie, une Serpollet, identifie à Hong Kong le bacille de la peste, mais bientôt celui-là se tournera vers l'acclimatation botanique de l'hévéa en Indochine.

Pour l'heure, les barons du caoutchouc, les Carlos Fitzcarrald, Antonio Vaca Diez, Julio César Arana, au sommet de leur gloire, rivalisent de luxe et d'apparat. Le village de Manaus perdu au milieu du continent devient la ville la plus riche du monde. Le théâtre Amazonas est inauguré en 1896, les pavés de la place recouverts de caoutchouc atténuent le bruit des fiacres pendant l'opéra. Pourtant la récolte est encore aléatoire, il faut des milliers de saigneurs pour débusquer les hévéas au hasard de la forêt, inciser les troncs, placer les pots de collecte, de plus en plus loin dans la jungle à mesure qu'on épuise les arbres, vers chez les Indiens qu'on asservit et qui parfois se vengent, sur les affluents des affluents des affluents. Dans ces campements sommaires, des hommes rongés de peur et de malaria tournent à la broche de grosses balles de caoutchouc fumées et durcies. Elles descendront en pirogue les affluents des affluents jusqu'au premier vapeur, seront déchargées sur les quais de Manaus où leur prix sera multiplié par cent. Les barons comptent les biftons, retournent à l'opéra. Mais en Asie sommeille une bombe à retardement. Le temps que ça pousse. Les barons l'ignorent encore. Ça va les ruiner.

Plus au nord, six ans après l'exécution, en 1860, de l'aventurier William Walker qui avait mis l'Amérique centrale à feu et à sang, c'est à nouveau la paix. Un Anglais de vingt ans débarque au Nicaragua, s'installe chez les Indiens Mosquitos, où il collecte des plumes d'oiseaux rares pour les modistes et les chapeliers de Londres. Henry Wickham descend vers l'Orénoque où il apprend à saigner l'hévéa, écrit des récits de voyage. Il se rêve explorateur, découvreur de fleuves, mais déjà plus rien n'est à découvrir, il gagne Belém, puis Santarém, à la confluence de l'Amazone et du Tapajoz.

Plutôt que d'exporter de la gomme puisque tout le monde le fait, qu'il ne dispose pas de capitaux pour monter une affaire, il a l'idée d'envoyer des Indiens ramasser dans la forêt des graines de l'*hevea brasiliensis*, en charge en douce près d'une tonne dans la cale du cargo *Amazonas* à destination de Liverpool. On les fait germer sous serre chauffée, expédie les plants vers Ceylan, la Malaisie, Singapour, où des champs préparés les accueillent en alignements. C'est 1876. Wickham remonte vers l'actuel Belize qui est alors le Honduras britannique, se lance dans la banane pendant que croissent en Asie les hévéas, plus tard achète une île déserte en Nouvelle-Guinée, plante des cocotiers. En Asie les arbres sont à maturité et commencent à produire. D'un coup le caoutchouc de plantation des Anglais et des Néerlandais déferle sur le marché. Yersin le Pasteurien depuis l'Indochine fournit Michelin. Au Brésil les prix s'effondrent, c'est la banqueroute. Des villages abandonnés retournent à la forêt, des vapeurs rouillent à quai, des locomotives noires sont englouties par la jungle émeraude. Depuis son île lointaine, Wickham qu'on oubliait revendique le vol du siècle.

Après la Première Guerre mondiale et l'essor des industries automobile et aéronautique, c'est la compétition de l'impérialisme états-unien et du colonialisme européen. Après des essais infructueux sur le territoire national, Henry Ford achète en 1927 plus d'un million d'hectares à Itaituba sur le Tapajoz, non loin de Santarém. Il fonde la Companha Ford Industrial do Brasil et Fordlandia, un État dans l'État, jouissant de sa propre administration et de sa propre juridiction. L'hévéa résiste ici à l'alignement. Les plantations de millions d'arbres sont bouffées de parasites. Cinquante ans après Wickham, c'est le voyage inverse : des plants greffés résistants, achetés auprès de la Goodyear Estate à Sumatra, sont chargés sur des navires qui traversent l'océan Indien, empruntent le canal de Suez, traversent la Méditerranée puis l'Atlantique, remontent l'Amazone jusqu'à Santarém puis le Tapajoz. D'autres cargaisons au hasard des flux commerciaux traversent le Pacifique et empruntent le canal de Panama. Ces arbres sont à plein rendement lorsque le Japon s'empare des plantations européennes d'Asie et les Alliés voient leur approvisionnement se tarir. Après Pearl Harbor, les États-Unis entrent en guerre et créent la Rubber Development Corporation, se tournent vers le Brésil. Voyant venir la manne, Getúlio Vargas, qui avait déjà refusé d'envoyer en Allemagne la tête de Lampion, rompt ses relations avec l'Axe.

Chargé de fournir la main-d'œuvre, il instaure le Servicio Especial de Mobilização de Trabalhadores para a Amazônia. Des bureaux de recrutement sont ouverts partout dans le pays. Cinquante mille seringueiros patriotiques sont promus Soldats du caoutchouc. La Rubber Development Corporation verse cent dollars par individu, met en place leur acheminement par navire jusqu'aux confins amazoniens. Les Indiens assistent impuissants au nouveau déferlement. L'enrôlement militaire est de deux ans. Beaucoup ne vivront pas si longtemps. Les conditions de vie sont dignes des camps, travail forcé sous les pluies chaudes de la jungle, nourriture avariée, malaria, pas d'assistance médicale, pas assez de quinine. Le Brésil connaîtra davantage de pertes humaines dans ce contingent des Soldats du caoutchouc que parmi le corps expéditionnaire qui participera, auprès des Alliés, à la campagne d'Italie en 1944.

La Russie soumise au blocus après la révolution et l'Allemagne dépossédée de ses colonies africaines avaient été les premiers pays à développer la production du caoutchouc artificiel inventé par Fritz Hofmann. Après la guerre, la France confrontée aux premiers soulèvements anticoloniaux crée la Société d'étude du Caoutchouc Synthétique à base d'alcool, en 1950. Elle se heurte aux planteurs d'Indochine mais quatre ans plus tard c'est Diên Biên Phu. Michelin produit du caoutchouc synthétique en France et en Indonésie mais possède encore des milliers d'hectares en Amazonie.

Et puis comme dans tous les domaines, la Chine devenue première puissance mondiale rafle les matières premières. Dans le nord du Laos, où je m'étais rendu en 2010 pour écrire la vie d'Auguste Pavie, l'explorateur qui, à la fin du dix-neuvième siècle, avait négocié en ces parages les frontières terrestres de la France, de l'Angleterre et de la Chine, j'avais rencontré, vers Muang Sing, les planteurs laotiens contraints d'acheter les plants d'hévéas auprès de la société chinoise Gao Shen, de vendre la gomme récoltée à la même société, au prix fixé par elle, pieds et poings liés au système colonial mis en place par le régime communiste.

Par association d'idées, il me semblait judicieux d'assembler un jour, en parallèle, les vies de l'explorateur breton Auguste Pavie et du brésilien Cândido Rondon.

à Santarém

À un bon millier de kilomètres de Belém et de l'Atlantique, un petit square en surplomb de l'hôtel London
offrait des bancs devant une rambarde pour admirer la
confluence du Tapajoz et de l'Amazone, les deux couleurs
des eaux qui ne se mélangent pas, la limite du gris-bleu du
premier et du mastic-havane de l'autre chargée de limon.
Ce trait tiré au cordeau au milieu du fleuve, comme à
Khartoum la rencontre des deux Nil, le bleu et le blanc,
qui ne se mélangent pas non plus, je l'avais lu et le savais,
mais il est toujours réconfortant de vérifier la bibliothèque
et d'y aller voir.

Cette rencontre éveille la fascination des frontières, le
goût, sur la ligne fictive de l'équateur, de poser un pied
dans chaque hémisphère, ici de nager à la limite des deux
eaux, d'imaginer en dessous la confrontation des espèces,
les populations du Tapajoz, lui-même collecteur de dizaines
de rivières, déboulant depuis le sud et des centaines de
kilomètres, ses poissons, mollusques, algues, dauphins
qui se mêlaient à la faune de l'Amazone descendue de la
cordillère des Andes, découvraient une nouvelle alimen-
tation, se livraient sans doute à des combats, des préda-
teurs devenaient proies, tous glissaient peu à peu vers

l'aval, apprenaient la salinité par le jeu des marées. Il est arrivé qu'une baleine égarée vienne mourir jusqu'ici, une petite baleine mâle de cinq tonnes, aperçue dans le Tapajoz le 14 novembre 2007, morte le 20 d'épuisement, à mille kilomètres de l'océan et du krill, ainsi qu'on l'apprend avec tristesse, si l'on va se recueillir devant son squelette au petit musée municipal de Santarém.

Notre équilibre était jusque-là paisible. Lorsque nous étions à terre, Pierre partait en vadrouilles photographiques, achetait des épices et du tabac, cherchait une papeterie, une poste pour envoyer une lettre à son amoureuse. Nous marchions ensemble vers la criée où les enfants jouaient à faire bondir hors de l'eau les dauphins roses à long museau en agitant devant eux des poissons accrochés à une corde. Plus loin se voyait le terminal portuaire, les cargos et les silos de Cargill emplis de maïs et de soja, les mêmes que sur le port de Saint-Nazaire, et que Pierre avait entrepris de dessiner. Je regagnais mon banc, en bordure du square judicieusement nommé Mirante Do Tapajós.

Par habitude, je notais dans mon carnet qu'entre mes chaussures défilait une fière colonne de fourmis portant des poids considérables de feuilles et de graines. Des petits oiseaux, taille moineaux, jaune citron et le dessus de la tête orange, des sicales à béret, patientaient sur la rambarde. Plus loin, de noirs vautours dormaient sur les toits et des iguanes, comme chats au soleil, en haut des murs. Santarém est une ville assoupie. Tout était ralenti. Grande torpeur de la chaleur humide. En ce début de mai, c'était encore la période des hautes eaux et la saison des pluies, dans le ciel l'infinie variété des nuages, de toutes les formes et de tous les noms, toutes les teintes de gris, de bleu et de blanc, en grands lambeaux qui se superposaient puis d'un coup noircissaient. Il pleuvait à torrents. Les rues étaient inondées.

Au dîner, nous reprenions parfois ces histoires de pères et de fils que je commençais à mettre en ordre, mais ne pouvais écrire sans voir ces lieux. Celles de Percy & Jack Fawcett, d'Edgar & Raymond Maufrais, de Theodore & Kermit Roosevelt. Nous estimions le meilleur et le pire de cette curieuse relation père-fils, le pire étant l'héritage, source d'injustices, qu'avec Pierre nous entendions bien abolir dès que nous aurions pris le pouvoir, et pour le meilleur ce jeu fascinant des ressemblances et des différences, dans les expressions du visage, le timbre de la voix, puisque les chats, tout de même, ne font pas des chiens, c'est avéré.

Pour avoir vu vieillir mon père, il ne me semblait pas si surprenant qu'un fils assiste à la décrépitude progressive et au chemin paternel vers la faiblesse. Comme si, par un jeu de vases communicants, quelque chose passait ainsi de l'un à l'autre. Je songeais que certains qui n'avaient pu assister à ce triste spectacle, Henry Morton Stanley ou Alexandre Yersin, s'étaient choisi des pères de substitution insurpassables, Livingstone pour l'un, Pasteur pour le second, dont ils avaient fait des symboles inhumains, et qu'ils n'étaient finalement jamais devenus pères à leur tour.

un orphelin bolivien

On dit que celui-là jamais ne connut son père et naquit très laid, bénéficia cependant d'une grande force musculaire, fit preuve de courage physique dans les batailles, gravit tous les échelons de l'armée, d'homme de troupe à général.

Mariano Melgarejo trahit et corrompt mais aussi séduit. Par ce curieux privilège que seules comprennent les femmes le monstre plut aux femmes, elles le sauvèrent. Après son premier coup d'État manqué contre Manuel Isidoro Belzú, alors qu'il attend d'être fusillé dans la prison de Cochabamba, des femmes de la haute société plaident sa cause auprès du président, arguant de son alcoolisme qui le rend un peu turbulent mais bonne pâte, sans doute aussi bon amant. Le président consent, les prévient cependant qu'un jour elles auront peut-être à s'en repentir. Il expédie le général en garnison loin vers les frontières. C'est peine perdue. C'est lui qui va s'en repentir. De retour à La Paz et au prétexte d'un rendez-vous de conciliation, Melgarejo tue Belzú au pistolet, montre au peuple son cadavre depuis le balcon du palais, s'assoit dans son fauteuil.

On le sait lunatique et cruel mais capable de s'apitoyer et de pleurer lorsqu'il est ivre. Il reçoit une jeune femme qui à son tour vient demander la grâce de son frère Aurelio condamné à mort. Il trouve Juana Sánchez à son goût, la séquestre trois jours au palais, en fait sa maîtresse, gracie le frère, en fait son conseiller. Sans qu'on sache bien ce qu'en pense Juana, qui elle aussi serait assez vite tombée dans le pisco, le couple diabolique organise des orgies, il la force à danser nue devant son état-major, peut-être pour susciter l'émulation chez les jeunes officiers. Le dictateur est analphabète, soit, alcoolique et sanguinaire mais francophile : lorsqu'il apprend en juillet 1870 l'invasion prussienne, il veut sauver Paris, la ville de l'élégance et des bonnes manières, ne la trouve pas sur la carte. Son état-major le met en garde. C'est très loin. Il répond : « ¡ Tomaremos un atajo ! Nous prendrons un raccourci ! » Trois mille hommes avancent dans la jungle amazonienne du Brésil en direction de l'Atlantique. Il refuse de croire à la capitulation de Sedan – ça n'est pas dans les bonnes manières –, n'ordonne le demi-tour qu'en novembre, lorsqu'il découvre que l'Angleterre avide de caoutchouc fomente dans son dos le soulèvement, et qu'elle ne reconnaît même plus l'existence de la Bolivie.

Le général-président essaie de se défendre, mène quelques combats. Dès janvier 1871 il est renversé, s'enfuit, seul et ruiné, vers le Chili, apprend après quelques mois d'exil que Juana Sánchez vit à Lima, capitale où elle dilapide la fortune du peuple bolivien, autant dire sa fortune à lui, s'en va crier sous ses fenêtres, elle refuse de le recevoir. C'est le frère, Aurelio, qui approche sur le trottoir, et le tue au pistolet. Melgarejo qui avait assassiné Belzú qui l'avait gracié meurt assassiné par le frère de Juana qu'il avait gracié.

Ces hommes qui ne suivirent pas le conseil pascalien de demeurer au repos dans une chambre sont morts pour que nous puissions écrire des histoires. Toutes ces péripéties des caudillos et des généraux tirés en avant par le poids de leurs médailles, on les lit chez l'écrivain colombien Alfredo Iriarte, lequel assembla des Vies de tyrans ubuesques sur le modèle des Vies de Marcel Schwob ou de Plutarque. C'est distrayant. Mais pendant ce temps-là, ce sont d'incessantes escarmouches partout en Amazonie. Personne ne respecte plus le traité d'Ayacucho sur les frontières. Seul règne le désordre. Bientôt la guerre. C'est mauvais pour les affaires.

père & fils

Après avoir jeté de l'huile sur le feu, les Anglais pragmatiques offrent de prendre les choses en main. Ce ne sont pas les officiers géographes qui manquent dans l'armée britannique. Percy Fawcett fut jeune militaire à Ceylan, il est à Malte en 1901, où on le forme à la cartographie et à l'espionnage. Comme Lawrence il mènera quelques missions de renseignement au Proche-Orient. On prépare le dépeçage de l'Empire ottoman qu'il faudra bien partager avec les Français. C'est sous la couverture pacifique de la Société Royale de Géographie qu'on l'envoie en 1906 en Bolivie, où la situation ne s'est pas améliorée depuis les frasques de Melgarejo.

Côté brésilien, Cândido Rondon est déjà à l'ouvrage et trace sa ligne télégraphique. Pendant huit ans, Fawcett parcourt le terrain à la tête d'une petite équipe, dort sous la tente au milieu de son matériel d'arpenteur, effectue des relevés orographiques pour tenter de délimiter par les cours d'eau et les collines des frontières naturelles avec le Brésil et le Pérou dans la région de l'Acre, qui avait fait brièvement sécession et s'était déclarée État indépendant. Il est sur zone en 1911 quand Hiram Bingham découvre ou redécouvre les ruines du Machu Picchu vers le río

Urubamba. C'est autrement plus excitant que la gomme dont le cours s'effondre, l'or et les cités oubliées. D'autres secrets dorment encore au bout de ces rivières qu'il descend en pirogue, interrogeant les Indiens, lesquels souvent en guise de réponse lèvent le bras vers l'horizon pour se débarrasser des importuns. Il n'a toujours rien découvert en 1914 lorsque l'armée le récupère.

Pendant que Lawrence soulève les Arabes de la Péninsule, c'est dans la Somme que Fawcett à présent colonel accomplit son devoir, face aux pluies d'obus continue de rêver des mondes engloutis qui l'attendent sous les jungles.

Revenu à la vie civile, il s'installe de sa propre initiative à Rio en 1920, reprend ses cartes, étudie les autres, travaille aux archives sur les chroniques des premiers voyageurs, collecte des indices. Ces quêtes des civilisations perdues sont alors à la mode : on a découvert en 1900 le palais de Cnossos en Crète, découvre en 1922 le tombeau de Toutankhamon en Égypte. Fawcett est convaincant. Il persuade la Société Royale de Géographie de soutenir ses recherches, vend les droits de ses récits futurs à un groupe de presse, la North American Newspaper Alliance, recrute des guides, achète chevaux, fusils et sabre d'abattis. Surtout, il convainc son fils Jack de l'accompagner.

Celui-ci obtient qu'un ami de son âge se joigne à eux. Le soir au bivouac, on évoque peut-être la grandeur des Incas du Machu Picchu, les splendeurs d'Angkor découvertes par Henri Mouhot, les pyramides aztèques et mayas longtemps cachées. Le fils a vingt-deux ans. On ne saura jamais ce qu'il pensait de la folle entreprise paternelle. On ne lira jamais son témoignage. Les derniers mots, c'est le père qui les écrit. Un message, si bref qu'il est propice à enflammer l'imagination, parvient le 30 mai 1925 à la North American Newspaper Alliance : « Nos deux guides ne nous accompagneront pas plus loin. Ils sont de plus en plus nerveux à mesure que l'on s'enfonce en territoire indien. »

Ce sont les deux couards qui ont rapporté le bout de papier pour eux indéchiffrable. Au moins ils sauvent leur peau. Depuis la publication de la dépêche, pas une semaine ne passe sans que les journaux ne relancent le feuilleton, rivalisent d'élucubrations. Fawcett et son fils sont-ils captifs des sauvages ? Les a-t-on mangés ? Ont-ils découvert un eldorado qu'ils ne veulent plus quitter ? Les trois Anglais sont-ils à présent des divinités blanches vénérées au fond de la forêt ? Il faut en avoir le cœur net. Pour les Anglais, c'est la saga de Stanley qui renaît, le jeune journaliste envoyé en Afrique centrale par le *New York Herald* sur les traces de Livingstone, dont on était sans nouvelles depuis trois ans, et qui l'avait retrouvé à Ujiji, sur les bords du lac Tanganyika.

Une expédition gagne le Brésil en 1928, l'expédition Voltaire, du nom du navire qui la convoie. George Dyott pénètre le Mato Grosso, rencontre les Indiens Kalapalo plutôt coopératifs, trouve dans leurs villages quelques objets personnels de Fawcett intégrés à l'artisanat local. Les Indiens se souviennent d'un homme entêté, inflexible, qui se serait ici défait d'un peu de son matériel pour repartir malgré l'extrême faiblesse des garçons, tous deux blessés aux jambes. Peu à peu ils auraient vu s'éloigner leurs colonnes de fumée, six feux puis plus rien. Ils seraient morts une semaine plus tard. Mais les chrétiens voudraient voir des tombes, des croix, des os. Les Indiens tendent le bras vers l'horizon, envoyant au loin l'expédition, et la responsabilité de l'assassinat probable vers des tribus plus lointaines.

Les choses devraient en rester là. Mais depuis la fin des Années folles et la crise de 1929, l'actualité est grise, les journaux emplis de suicides d'épargnants, des mesures de plus en plus contraignantes du fascisme en Italie, la famine en Russie, l'extrême droite aux portes du pouvoir en France comme en Allemagne. Un petit article de temps à autre sur le mystère Fawcett ouvre dans la presse une fenêtre d'exotisme et de couleurs. Et si le père et le fils, depuis tout ce temps, vivaient comme des nababs dans un paysage idyllique ? Quatre ans après l'expédition Voltaire, paraît dans le *Times* de Londres une petite annonce. Un groupe de gentlemen appelle d'autres gentlemen à se joindre à eux pour aller chercher Fawcett et son fils.

Cette fois, l'entreprise rappelle davantage la deuxième expédition de Stanley, pour sauver Emin Pacha perdu en Équatoria. L'honneur d'accompagner l'auteur de *How I found Livingstone* avait été mis plus ou moins aux enchères. Certains comme James Jameson, l'héritier des whiskies du même nom, avaient dépensé des fortunes pour aller mourir dans les jungles du Congo. Un jeune reporter lit l'annonce. Il est déjà un peu connu du milieu. Bien que de bonne famille, il ne peut participer aux frais, conclut un accord avec la rédaction du *Times*, laquelle lui confie un code, Othello, afin qu'il lui fasse parvenir des dépêches cryptées. Sait-on jamais. Ce sera lui le Stanley de l'affaire.

À cette différence notable que Peter Fleming n'a aucune expérience de ce genre d'aventure, ni aucun pouvoir sur l'expédition. Il propose à son ami Roger, comme lui diplômé d'Eton, de le seconder. Dès le départ c'est mal embarqué. Le groupe des gentlemen-chasseurs emporte un arsenal sur lequel on peut s'interroger, et c'est ce que font les douanes brésiliennes, elles s'interrogent, en voyant décharger sur les quais de Rio nombre d'armes de tous calibres, carabines, revolvers, fusils, caisses de munitions et de grenades, et même un canon, comme si ceux-là accompagnaient Lord Kitchener à Omdurman pour écraser les troupes du mahdi.

Cândido Rondon, en charge du Conselho Nacional de Proteção aos Índios, s'oppose à l'opération. Chercher des hommes perdus sept ans plus tôt dans la forêt c'est insensé. Il soupçonne des visées impérialistes, de la prospection minière. On sait la fourberie des Anglais, lesquels profitent pourtant de la confusion régnant à Rio et dans tout le pays. Après la Révolution pauliste c'est la Révolution constitutionnaliste. Graissant la patte de quelque autorité, ils parviennent à organiser un convoi de camions, montent vers le nord et le Minas Gerais, gagnent Goiás où ils doivent rencontrer l'Interventor, manière de gouverneur susceptible de les autoriser à poursuivre leur progression. « Nous avions rentré nos souliers à clous sous nos chaises. Chacun priait le Ciel que l'Interventor sût reconnaître une cravate d'Eton. » Ils reprennent la route vers le Mato Grosso. « Vers le soir, nous descendîmes des collines pour nous retrouver au milieu d'une campagne luxuriante. Nous approchions du fleuve ! »

Les propos sentent bon l'enthousiasme des débuts. Les voilà à pied d'œuvre. Mais aussitôt c'est la dispute dans le petit groupe, la scission. Les chasseurs pensaient peut-être se la couler douce au bord de l'eau, installer un campement de l'armée des Indes, meubles de teck, service à thé, offrir à Fawcett et à son fils, sortant de la jungle accompagnés de leurs serviteurs emplumés, un petit verre de brandy. Les gentlemen sont déçus de leur safari. S'ils savaient déjà l'absence du lion et de l'éléphant, ils s'attendaient à une forêt davantage giboyeuse. Ni l'agouti ni le pécari n'offrent des trophées dignes de leurs demeures à la campagne. Le hoatzin peu farouche est une cible facile, mais il empeste autant mort que vif.

Peter et Roger abandonnent les chasseurs au campement avec promesse d'attendre leur retour, embarquent en canot pour remonter le cours de l'Araguaia vers chez les Indiens Karajá. Leur provision de riz, haricots noirs, farine de manioc et boîtes de Quaker Oats sera vite épuisée. Ils comptent trouver gibier et poisson mais ça n'est pas si facile. Peter ouvre son carnet. Avant de coder le reportage encore faut-il l'écrire. « Alligators, serpents, poissons mangeurs d'hommes, sauvages sanguinaires, insectes venimeux… J'avais là toute une panoplie à ma disposition. Mais une fois la plume à la main, je m'aperçus que je n'oserais jamais m'en servir. Que le lecteur me pardonne donc si ma description du Mato Grosso ne correspond pas à l'idée effrayante qu'il s'en fait. »

Puisque la fiction lui est interdite, contrairement à son frère Ian, qui inventera plus tard le personnage de James Bond, Peter entame la rédaction d'un carnet de route peu propice à susciter la ferveur des lecteurs du *Times*, entre-tient cependant un certain suspense et sacrifie au genre du récit d'exploration. « La troisième semaine d'août nous trouva dans l'estuaire du Tapirapé. » Ils le remontent. « Notre carte (la meilleure qui fût disponible à Londres à l'époque) présentait un tracé du Tapirapé totalement fantai-siste. » Ils entreprennent de gagner le Culuene par la terre ferme à travers la forêt. Il faudrait maintenant s'y mettre. « Nous nous trouvions à deux cents kilomètres environ de l'endroit où Fawcett était mort, et rien au monde n'aurait pu nous faire rebrousser chemin avant l'épuisement total des ressources à notre disposition. Même à mes heures les plus optimistes, je n'espérais pas réussir, mais du moins étions-nous en mesure de sauver la face en pénétrant dans une région inexplorée jusqu'à ce jour par l'homme blanc. Ce n'était pas rien. Nous décidâmes de partir dès le lendemain, à l'aube. »

Ces notes, qu'il rassemblera dans *Brazilian Adventure*, montrent peu à peu son détachement, comme s'il s'observait de loin, avec ironie, comme s'il n'était plus possible de prendre au sérieux de telles équipées après les monstruosités de la Grande Guerre, les millions de morts et les milliers de disparus sans laisser de trace. Il avait appris à l'âge de dix ans la mort en 1917 de son père, officier britannique comme Fawcett. Tous deux combattaient dans la Somme. Par le hasard des pluies d'obus, Fawcett avait survécu, obtenu de la Providence des années de sursis. « Nous cherchions à retrouver les traces de trois hommes censés avoir disparu sept ans plus tôt, et dont il ne restait sans doute plus rien. Il devenait à présent nécessaire de prendre toute cette histoire au sérieux. Ce que je trouvais difficile. »

Exténués par la marche, loin de la rivière et du poisson, sans trouver de gibier, rongés par la faim, c'est peut-être enfin l'aventure que cherchaient Peter et Roger, que cherchaient peut-être aussi Percy et Jack, davantage encore que les cités englouties, la vraie vie, la réalité rugueuse à étreindre. « Avoir sans cesse l'estomac vide n'est finalement pas une si mauvaise façon de traverser la vie. Non que la faim constitue la clef du bonheur, mais elle protège des formes les plus nuisibles de l'angoisse existentielle. La faim ne vous donne pas confiance en vous, mais elle gomme votre sens critique et met un terme à l'introspection. Quand vous préoccupent le souvenir de votre dernier repas et les projets à échafauder pour le prochain, vous ne vous laissez pas aller à philosopher sur le drame de la vie en général, ni sur celui de la vôtre en particulier. » À ces apartés psychologiques, éloignés du style des explorateurs du siècle passé, de Stanley ou de Brazza, il ajoute des notations de lépidoptériste qui colorent son récit, « des nuages de minuscules papillons, blancs, jaune pâle, vert très pâle, qui ornent les flaques de boue le long des berges, comme s'il n'existait pas au monde endroit plus délicieux ».

Les deux jeunes Anglais font retour vers l'Araguaia. Ils s'attendent à se faire chambrer et ça ne rate pas. Ils sont bredouilles autant que les gentlemen chasseurs. Depuis le canot, ils aperçoivent une nuit un feu près de l'embouchure :

« Nous criâmes.

– Docteur Livingstone, je présume, nous répondit une voix sarcastique, ensommeillée.

L'expédition était à nouveau réunie. »

À bord d'un vapeur venu charger une cargaison de noix du Brésil, ils navigueront vers le nord et le fleuve Amazone, non loin à vol d'oiseau de Santarém et de Fordlandia sur les bords du Tapajoz. Ils savent qu'à la différence de Percy Fawcett et de son fils ils vont regagner sains et saufs l'Angleterre à bord d'un paquebot qui appareille de Belém, se laissent guider dans le dédale des bras et paranas au bruit apaisant des machines, couchés sur les sacs de noix. « Jamais nous ne retrouverions une pareille sensation de total détachement. Nous mangions des bananes dans une étrange euphorie. »

Nous considérâmes avec Pierre qu'il était inutile d'insister, quatre-vingt-treize ans après la disparition du père et du fils, et que l'histoire devait en rester là. Nous nous demandions accessoirement qui pourrait bien, si nous ne reparaissions pas, se lancer à notre recherche en 2025, sept ans plus tard.

de l'optimisme

Tout à la géographie, le récit de Fleming concède peu de place à l'Histoire, même s'il mentionne les troubles qui entourent l'arrivée de l'expédition à Rio en juillet 1932. Ces Anglais peu attentifs assistent pourtant à un moment crucial de l'histoire brésilienne, la fin de la Vieille République, la República Velha mise en place après la destitution de l'empereur Pedro II en 1889, dont ni la Révolution pauliste de 1924 ni la colonne Prestes n'étaient venues à bout. La crise de 1929 a depuis ruiné l'économie, bloqué les exportations. On enfourne les tonnes de café invendu dans la chaudière des locomotives. Paulo Prado, qui venait de commander les plans d'une somptueuse demeure à l'architecte suisse Le Corbusier, annule le chantier. En octobre 1930, Getúlio Vargas, qui pèsera sur la vie du pays jusqu'à son suicide en 1954, s'est emparé du pouvoir par un coup d'État.

À São Paulo, on exige une constitution, la tenue d'élections. Le 9 juillet 1932 c'est le soulèvement, la Révolution constitutionnaliste. Les troubles gagnent le pays, s'intensifient. Vargas fait appel à l'armée. Le 22 juillet, Alberto Santos-Dumont, l'as de l'aviation, apprenant les premiers bombardements aériens, se suicide dans une chambre du

Grand Hôtel de la Plage à Guarujá. C'est la guerre civile au Brésil jusqu'en octobre. Partout sur la planète la chute des dominos démocratiques. Trois mois plus tard en Allemagne, Hitler est nommé chancelier. Stefan Zweig fuit l'Autriche pour Londres en 1934. Deux ans plus tard c'est la guerre civile en Espagne. Zweig séjourne une première fois à Rio. En 1937, Georges Bernanos, menacé par les franquistes, doit fuir l'Espagne. Après sa première tentative de créer un village communautaire au Paraguay, sur le modèle de la chevalerie médiévale, le grand taureau mystique et cabossé, le blessé de guerre appuyé sur ses deux cannes, le « socialiste proudhonien attiré par la monarchie », s'installe au Brésil.

Il veut vivre sur la terre et par la terre, gagner le grand titre de paysan, travailler cette brousse ingrate du Minas Gerais, « désert d'herbes coupantes, de lianes mortes, d'arbres nains, de fleuves d'eau tiède, écœurante », fait l'acquisition de milliers d'hectares, de deux cents vaches, de taureaux, de huit chevaux, se ruine, réduit son ambition, trouve un autre lieu, à Barbacena, colline de Cruz das Almas.

C'est 1939 et bientôt en France le début de la « drôle de guerre », la mobilisation. De temps à autre il rejoint Rio pour les nouvelles. Il y rencontre les écrivains de passage parmi lesquels Henri Michaux. Ce sont aussi des histoires d'amour. Celui-là est accompagné de Marie-Louise Ferdière. Elle a divorcé pour lui du docteur Ferdière, le psychiatre d'Antonin Artaud, le poète qui écrivit que Bernanos était son « frère en désolation ». Si éloignés en politique et en littérature, Bernanos et Michaux sont bouleversés par l'écroulement imminent du monde.

En janvier 1940, Michaux embarque pour Bordeaux avec un manuscrit de Bernanos qui paraîtra dans la NRF en mai, au moment de l'invasion allemande. Roger Caillois, venu à Buenos Aires pour l'amour de Victoria Ocampo, y demeurera pendant la guerre. Il rencontre parfois Bernanos à Rio, « il habitait à l'hôtel Glória, nous parlions au bar de l'hôtel ». De retour à la Croix-des-Âmes, celui-là poursuit avec acharnement son travail, toute son œuvre qui est un dialogue entre lui et l'enfant qu'il fut. Il publie ses livres à Rio, soutient le mouvement de la France libre.

En cette année 1940, Stefan Zweig est à nouveau au Brésil. Il s'installe à Petrópolis en compagnie de son dernier amour, Charlotte Altmann. Pendant les premiers mois, il sillonne le pays, écrit *Brasilien, Ein land der zukunft / Brésil, terre d'avenir*, qui paraît à Rio en 1941. Son enthousiasme est mal accueilli. C'est un malentendu. On l'accuse de soutenir et de glorifier la dictature de l'Estado Novo instauré en 1937 par Getúlio Vargas. On peut lire en effet beaucoup de naïveté dans cette admiration d'une morne existence que, du temps qu'il était au centre de la vie intellectuelle frénétique de l'Europe, il aurait jugée avec condescendance et qu'ici il semble admirer : « Les gens d'ici n'ont pas trop de désirs, ils sont sans impatience. La plupart se contentent de pouvoir bavarder un peu, après ou pendant le travail, puis de pouvoir flâner, en buvant du café, rasés de frais et les souliers bien cirés, d'avoir leur maison, leurs enfants, leurs bons amis. »

Zweig reprend son *Montaigne* dont la parution sera posthume, relit cette phrase dans les *Essais* : « Il se trouve que la plupart des philosophes ont ou devancé par dessein ou hâté et aidé leur mort. » Montaigne avait eu la sagesse de se retirer du monde à trente-huit ans. Zweig est épuisé, presque muet chez Bernanos, qui l'invite en février 1942 avec Lotte à la Cruz das Almas, puis les raccompagne à la gare. Zweig vient d'envoyer à son éditeur l'autobiographie *Le Monde d'hier, souvenirs d'un Européen*. Le 22 février est un dimanche. Ils portent des tenues légères et tropicales, lui une cravate fine sur une chemise à manches courtes, elle une robe à motifs brodés. Ils ont avalé le poison, se sont allongés sur le lit. Il a soixante ans, elle trente-quatre. On connaît la photographie des deux amants main dans la main, morts, paisibles. Bernanos lui rendra hommage dans la presse, mais lui en voudra de cette démission, de cette désertion face à l'ennemi, et Thomas Mann davantage encore : « N'avait-il pas conscience d'un devoir à remplir envers ses compagnons d'infortune du monde entier, pour lesquels le pain de l'exil est beaucoup plus dur que pour lui, adulé et libre de tout souci matériel ? »

On ne décèle jamais une cause unique, et même parfois aucune, à ces décisions radicales d'en finir. Pour lui la fatigue de l'exil, l'extrême lassitude de la soixantaine entamée, le rejet par les lecteurs brésiliens de ce livre qu'il voulait leur offrir en cadeau. Pour elle, on ne voit que l'amour qui aveugle.

On prétendit que la prise de Singapour par les Japonais, le 15, le dimanche d'avant, fut l'élément déclencheur de sa résolution. Bien sûr, pour nous qui connaissons la suite, il paraît insuffisant.

Dans un texte que Pierre venait de me donner à lire, un texte écrit pour accompagner une exposition de ses photographies, *Éléphant & Chariot*, Jean Rolin revenait sur ses souvenirs, enfant, du port de Saint-Nazaire, la construction du paquebot *France*, et rendait hommage à l'héroïque commando des Anglais et des Canadiens qui, en mars 1942, peu après le suicide de Zweig, avait au prix de pertes nombreuses et d'un admirable courage mis hors d'usage pour toute la durée de la guerre la forme-écluse Joubert, et par conséquent privé de tout repli le cuirassé allemand *Tirpitz*. Si ce succès ne constituait pas encore à proprement parler un basculement du conflit mondial, il montrait pourtant que tout espoir n'était pas interdit, que l'action pouvait n'être pas vaine, et finirait par triompher.

L'optimisme est un impératif catégorique. Même si.

à bord

La nuit en Amazonie, se contemple rarement la voûte constellée. Certains Indiens voient dans les étoiles les feux allumés par les hommes restés prisonniers là-haut, quand eux sont bien à l'abri en bas, chez Pachamama, la Terre mère. À l'aube, la forêt s'ouvrait parfois sur des bâtisses isolées au milieu d'un pré surélevé, toits de tuiles, vaches blanches et buffles noirs, chevaux, plantations de palmiers açaïs pour les fruits et le cœur blanchâtre du tronc, vols criards et frénétiques des perroquets qui semblent toujours se faire la course et s'engueuler. Petit peuple des volailles et des cochons serré sur les terrasses en planches. Au large les buffles assemblés sur des radeaux attendant la décrue, bétail flottant avitaillé par les pirogues poussant chaque matin sur l'eau, devant elles, un grand ballot d'herbe verte, pirogues que nous croisions à bord du canot pendant nos promenades ornithologiques et halieutiques, pêchant à la gaule dans les massifs de nénuphars et de lentilles et de jacinthes, frappant l'eau à la gaffe pour exciter le poisson vorace, appâtant à la viande.

Nous continuions de naviguer sur le fleuve aux milliers d'affluents et de sous-affluents comme tentacules d'une hydre fantastique, nagions à Alter do Chão peut-être en train de devenir un village de routards, menacé cependant, nous disait-on, par le projet d'un barrage sur le Tapajoz loin en amont, après Fordlandia, lequel barrage, par la limitation du débit de ses eaux claires, amènerait ici les eaux bourbeuses de l'Amazone et c'en serait fini de la baignade.

Le Lago Verde au nord de la bourgade deviendrait le Lago Negro. Les dauphins, qui continuaient de s'y ébattre gaiement, disparaîtraient peut-être. Les villas prétentieuses des fortunes de l'or amassées trente ans plus tôt, au cours d'une brève ruée, la découverte d'un bon petit filon, vite épuisé, furent bâties en surplomb des eaux émeraude, en haut de collines arasées et déboisées, offertes ainsi au déluge. Des pans entiers de falaises de terre rouge tombaient dans l'eau. Bientôt les maisons.

Entre îles et méandres, nous contemplions les faîtes mouchetés de jaune citron et de vermillon, les ciels comme haillons blancs ou violets accrochés aux cimes. Puisque c'est bien de la beauté que nous venions chercher jusqu'ici, celle des paysages et des animaux, l'excitation de notre mémoire eidétique, laquelle est souvent aiguisée par la pratique du dessin qui nous apprend à voir. Devant Pierre le crayon en main, me revenait le dialogue de Proust et de Ruskin, lesquels faisaient de la beauté le sens de l'existence pour un homme sans dieu, et le souvenir trop vague, enfoui, d'une phrase de Ruskin sur l'apprentissage de la beauté par le dessin, dont je chercherais au retour l'exacte formulation : « Deux hommes traversent un marché ; l'un d'eux n'est pas plus avancé quand il en sort que quand il y est entré, l'autre remarque quelques brins de persil qui pendent par-dessus le bord du panier d'une marchande de beurre, et emporte avec lui des images de beauté qu'il incorporera à son travail quotidien pendant de nombreuses journées. »

Lisant à nouveau cette phrase, je m'apercevais que les couleurs n'y étaient pas mentionnées, que pourtant c'étaient le jaune du beurre et le vert du persil, peut-être associés au bleu de l'eau, autant dire au drapeau brésilien présent partout et aussi à bord, qui avaient alors amené cette association d'idées et aussi d'images : j'avais ce jour-là retrouvé le souvenir de Proust et Ruskin tous deux à Venise et, dans l'errance de cette pensée analogique, par contiguïté, retrouvé d'autres images, curieusement en noir et blanc, de Pierre à Venise sous la neige, dix ans plus tôt, le crayon à la main.

Préparant notre départ vers l'ouest, pour Manaus, nous nous apprêtions à débarquer de la *Jangada*, à ranger gommes et crayons, à quitter l'État du Para pour celui d'Amazonas, vers les rios Negro et Solimões, observions les vols en piqué des sternes qui disputaient dans l'eau claire et transparente le poisson aux dauphins sous les grandes rincées de pluie, songeant que celles-ci, les sternes, dans l'éventualité de l'édification du barrage, seraient les premières perdantes de l'obscurcissement des eaux, quand les poissons en seraient les bénéficiaires momentanés.

la nuit chez Takashi

Le ciel, de jour, n'est souvent pas plus dégagé que la nuit. Lorsque par hasard il l'est, on peut distinguer sur les photographies aériennes de l'Amazonie les pistes dites en arête de poisson, des sillons ocre quittent à angles droits le trait noir de la route et, depuis ceux-ci, toujours à angles droits, d'autres sillons plus fins se perdent, s'achèvent dans la jungle de manière provisoire et souvent illégale. À la sortie de Manaus vers le nord, un panneau routier annonce « Caracas 2 250 km ». Après avoir parcouru une première centaine de ceux-ci, la BR174 atteint la ville de Presidente Figueiredo, et aux environs du kilomètre 200 commencent les terres indiennes de la réserve. Quelque part entre les deux vit Takashi.

Sur ces quelques dizaines d'hectares de forêt sourd un ruisseau qui, après divers méandres, atteint trois mètres de largeur au bas de la colline. Ce Thoreau à Walden nous accueillait en son ermitage vêtu d'un short rouge et le torse nu, pas très grand, maigre et cuit de soleil, longs cheveux noirs tirés en catogan et machette à la taille. Nous apportions depuis Manaus, à sa demande, deux grands poissons frais achetés le matin même sur le port, des matrinxãs. La première traversée de la rivière s'effectuait de manière confortable, sur des planches, afin d'atteindre le seul bâtiment dont la construction est antérieure à son arrivée. Il avait préparé le bois, allumait le feu, fendait les poissons, les posait sur une grille. Nous avions passé l'après-midi à décoller la chair des arêtes, à l'avaler mélangée à de la farine de manioc, à lancer les restes aux trois chiens et au chat.

Au fil des années, Takashi avait commencé à défricher certains arpents de la colline pour y faire pousser de quoi vivre, abattu quelques arbres dont le bois avait permis d'ajouter à la remise où nous étions deux autres constructions, l'une pour y travailler et l'autre pour y dormir. Ces trois lieux, distants chacun d'une centaine de mètres, s'étageaient au long de la pente. Un sentier les reliait, qui franchissait le méandre de la rivière sur des troncs. Les trois chiens méfiants sur nos talons, il nous indiquait les plantations de fruits et de légumes nécessaires à sa vie en autarcie, la petite plante pour la quinine nécessaire à l'équilibre de sa santé, les feuilles et les lianes dont la savante combinaison entrait dans la préparation de l'ayahuasca, breuvage nécessaire à l'équilibre de sa pensée.

Lors d'une première halte à mi-pente, alors que les chiens ne faisaient toujours preuve à notre égard d'aucune aménité, et ne semblaient pas emballés par notre présence, il nous détaillait les multiples traumatismes subis par ces animaux, dont l'un avait vu son jumeau enlevé par le puma. Peu après son arrivée, assis près de la rivière en compagnie des deux chiots qu'il venait d'apporter, Takashi avait suivi le conseil qu'on lui avait prodigué de crier plutôt que d'armer son fusil. Depuis le puma respectait son territoire mais venait peut-être y rôder en son absence. Le sentier passait sous son bureau bâti sur pilotis, dans lequel il nous invitait à grimper.

Le lieu tenait à la fois de la cabane sylvestre et de la cabine de navire, une bannette, une table et un siège, une guitare, des flutes. Sur un rayonnage une collection de crânes d'animaux auxquels il était difficile de donner des noms, certains à cornes. Une bibliothèque bouffée par les insectes, des livres poussiéreux et maculés de crottes diverses qu'il brossait du coude avant de nous les tendre. Poète et traducteur, amateur des grands cinglés littéraires dans son genre, c'est dans l'exercice de cette autre activité, sporadique et parallèle à sa vie d'anachorète, que nous nous étions rencontrés. Il tentait alors de restituer en brésilien l'œuvre du pré-surréaliste Jean-Pierre Brisset qu'il m'avait fait découvrir, lequel, après une brillante carrière militaire, élu Prince des Penseurs par Jules Romains et ses amis, avait entrepris de démontrer, par d'imparables arguments linguistiques, que l'homme descend en ligne droite de la grenouille.

Takashi s'attaquait à présent aux poèmes de Rimbaud dans l'*Album zutique*, traduisait l'écrivain congolais Sony Labou Tansi, nous montrait son travail au stylo dans un cahier. Au cours de cette conversation, entamée dans les neiges helvétiques et que nous reprenions dans la chaleur suffocante de sa retraite équatoriale, mis à part Guimarães Rosa dont nous faisions tous deux l'éloge, les autres en prenaient avec lui pour leur grade : il critiquait Céline sur l'Afrique, Bouvier sur le Japon, Lévi-Strauss sur le Brésil, qui ne mentionnait ni Oswald de Andrade ni la femme de celui-ci, la peintre Tarsila do Amaral, qui lui avaient pourtant ouvert les portes du pays. Il critiquait encore Cendrars pour avoir vanté le silence de la forêt amazonienne quand il suffisait ici d'entendre l'incessant boucan, les cris des oiseaux, les appels, bientôt les singes hurleurs qui s'approcheraient pour voler ses fruits, auxquels répondraient ses chiens, eux-mêmes nourris à la noix de coco, qu'il fend pour eux à la machette, afin de leur rappeler son indispensable présence à leur côté.

Tout en haut, après avoir à nouveau franchi le méandre sur un tronc, gravi un raidillon glissant, nous avions posé nos sacs sur le grand plateau de planches, ouvert à tout vent, où il faisait un peu moins chaud. Cette construction, la plus récente, couverte d'un toit, représentait l'ultime conquête humaine au-delà de laquelle s'étendait la forêt vierge où il s'aventurait parfois. Nous avions accroché les hamacs, suspendu les moustiquaires, déroulé des nattes pour prévenir la montée de l'humidité depuis le sol pendant la nuit. Pierre exténué s'était endormi. Après tant de mutisme, Takashi continuait à parler, de rites indiens me semblait-il, mais je l'entendais à travers le brouillard de la fatigue, répondais peu, le distinguais dans l'ombre assis en tailleur au milieu de ses chiens, puis tout au bord du plateau, les jambes dans le vide au-dessus de la végétation détrempée. Il taillait au couteau un bloc de tabac, emplissait le fourneau d'une très longue pipe. La fumée jointe à nos odeurs de transpiration, plus tard à nos ronflements, donnait sans doute à réfléchir aux singes et peut-être aussi au puma terrorisé. De loin en loin, un chien grognait dans son sommeil.

On se demande parfois le matin qui on est, puis retrouve l'année et le jour de la semaine, se dirige en somnambule vers la cafetière et le poste de radio. Ici la procédure était plus longue : après avoir quitté la plate-forme de couchage, il fallait encore dévaler le raidillon boueux, traverser la rivière en équilibre sur le tronc, emprunter le sentier vers le bureau, dépasser celui-ci dans le cas où aucune idée ne vous était venue dans la nuit, continuer à descendre la colline souvent sous la pluie chaude, et c'est ainsi déjà douché qu'on atteignait tout en bas la cuisine où nous buvions le maté et poêlions des œufs. Takashi reprenait pour Pierre, et aussi pour moi qui en partie l'ignorais, le cours sinueux d'une vie qui l'avait amené ici. Né près de São Paulo dans une famille japonaise depuis longtemps installée au Brésil, il était parti à dix-huit ans, avait voyagé un peu partout, parcouru la France à vélo, travaillé un an et demi dans une usine au Japon puisqu'on ne peut cesser d'être japonais même après plusieurs générations d'exil. Se retirer dans la solitude de la forêt était l'accomplissement d'un rêve d'enfant. C'est dans les films de Cousteau qu'il avait découvert l'Amazonie et surtout l'existence du dauphin rose. Dans un grand sourire, il nous rappelait que l'animal, qu'on appelle ici Boto, peut se transformer les soirs de fête en beau jeune homme et séduire les filles. Les enfants sans père sont dits fils du Boto. Lui était devenu un Indien japonais.

Lorsque nous avions quitté Takashi, nous n'imaginions pas à quel point ce lieu et ce séjour si bref allaient nous épuiser et nous bouleverser, de manière consciente tout d'abord, parce qu'ils reviendraient souvent dans nos conversations, dans notre vie nocturne aussi, et nous évoquions les rêves et cauchemars qu'il est toujours difficile de mettre en mots. Parmi les thèmes récurrents que j'avais involontairement transportés avec moi au sortir de la forêt, nous marchions dans un marais hérissé d'herbes vertes, peut-être une rizière que nous traversions. Nous étions trois, Pierre et moi et un ami photographe de guerre que je n'ai pas revu depuis des années. De longs serpents verts et bleus très fins dressaient leur tête au-dessus des herbes, auxquels nous tentions vainement d'échapper, et qui nous mordaient aux chevilles. Nous mourions dans la vase.

Dans un autre cauchemar, nous étions à bord d'un navire qui pouvait être la *Jangada*, ou celui de Fitzcarraldo dans le film de Werner Herzog. Celui-ci naviguait parmi les arbres immenses entre le sol et la canopée. Sa coque se déchirait sur les branches. Pierre était blessé à la jambe. Dans la réalité, chez Takashi, Pierre souffrait d'une oreille infectée et avalait des antibiotiques, et je m'étais entaillé la cheville après avoir glissé sur un rondin gluant, la nuit où l'alcool et d'autres molécules suscitèrent l'ivresse de mon hippocampe et portèrent atteinte à mon bon équilibre. Mes écrase-merde avaient dérapé sur l'écorce mouillée, plongé dans la rivière emplie sans doute de serpents et de crapauds et de grenouilles, dans un retour à l'origine donc, selon la théorie peu darwinienne de Brisset d'après laquelle « l'homme est né dans l'eau, son ancêtre est la grenouille et l'analyse des langues humaines apporte la preuve de cette théorie », preuve irréfutable dont nous laisserons au lecteur le soin de la découverte, ou bien le choix de la théorie sensiblement différente de Takashi, selon laquelle l'homme descend plutôt parfois du dauphin rose.

Au moins avais-je sauvé des eaux la biographie de Cândido Rondon, dont je venais de faire l'acquisition chez un libraire d'ancien à Manaus. Le Conseil national de protection des Indiens, qu'il avait fondé au début du vingtième siècle, opérait toujours et ses moyens s'étaient modernisés. Sur les images d'une caméra placée en forêt, apparaissait récemment un homme dont on était sans nouvelles depuis vingt ans, et dont on ignorait qu'il était encore en vie, seul survivant d'un groupe d'Indiens massacrés. Depuis vingt ans, cet homme, aujourd'hui âgé d'une cinquantaine d'années, n'avait pas intégré une autre tribu et vivait seul dans la forêt. On le voyait abattre un arbre à la cognée. Bien sûr celui-là était autrement seul que Takashi, lequel disposait de la compagnie des livres et d'allumettes pour allumer son feu, et même, dans la partie basse de son territoire, où se tient le hangar qui lui sert de cuisine, d'un raccordement électrique à la ligne qui longe la route. Il pouvait effectuer de temps à autre des séjours en ville et même prendre un avion pour l'Europe. Et pourtant nous nous demandions avec Pierre au bout de combien de temps d'acclimatation nous pourrions parvenir à vivre ici comme lui.

Si la vie de cet Indien solitaire surpris par la caméra au hasard de la jungle était à ce point inimaginable, puisque placés dans la même situation, égarés dans la forêt, nos chances de survie étaient aussi nulles que celles de Fawcett et de son fils, il en allait différemment de la solitude volontaire et de l'autarcie de Takashi. Celui-là se trouvait quelque part entre nous et l'Indien solitaire. Et pourtant nous savions cultiver les légumes et les fruits, élever des poules, pêcher des poissons. Tout cela nous l'avions fait ensemble pendant l'enfance de Pierre en Bretagne à L'Océan, au retour du Maroc. Il avait continué seul adolescent. Nous connaissions ce goût du temps qui passe, de la lenteur de la pousse, la peine à remuer la terre et à désherber, la beauté enfin, le tracé rectiligne des carrés ensemencés, le vert des salades et le rouge des tomates, nous connaissions toutes les variétés de champignons dans le bois autour de l'étang qui jouxtait ce jardin, savions les cuisiner aussi bien que les légumes. Les plantations de Takashi étaient comme ces champignons presque invisibles, indiscernables à un œil non exercé, intégrées à la végétation. Il montrait un petit tas de noix de coco protégeant un jeune pied de manioc, des plants d'ananas éparpillés dans les herbes, des papayers qu'on pouvait imaginer sauvages.

S'il n'était pas douteux que tout cela nous l'aurions appris, que nous aurions pu fournir l'effort de quelques semaines ou de quelques mois et nous adapter à cette vie, demeurait la question plus grande de la solitude. Là-dessus aussi avec Pierre nous en connaissions un rayon, vivions seuls chacun de notre côté, l'un à Paris l'autre à Ivry, mais c'est autre chose de pouvoir, au bout de quelques heures ou de quelques jours, sortir dans la rue et s'asseoir à une terrasse devant un verre de vin blanc frais, plutôt que de grimper seul, soir après soir, le sentier vers la plate-forme de couchage, même dans la compagnie joyeuse des chiens, et des nombreux esprits turbulents convoqués par l'ayahuasca.

Pierre transportait avec lui un exemplaire des *Contemplations* dont nous lisions à tour de rôle un poème comme un petit verre d'élixir. Takashi était cet homme admirable et pauvre et heureux que Hugo rencontre dans sa masure au début des *Malheureux*. Et cette décroissance qu'appelait de ses vœux Henry David Thoreau, et aussi Élisée Reclus, et que nous appelions me semble-t-il des nôtres, ce retour à une existence plus frugale, parce qu'elle est aussi plus morale et plus belle, plus lente, dans le cas où elle entraînerait un jour le recours aux forêts, enclencherait peut-être une nouvelle adaptation takashienne, l'apparition en nous de capacités ignorées.

Je m'étais souvent demandé, enfant, peut-être à la découverte des Indiens bleus, quelle aurait été ma vie dans une tribu ignorant la chirurgie de la greffe osseuse.

Écarté d'emblée du groupe des chasseurs comme de celui des cueilleurs, dans lesquels on ne s'embarrasse pas de traînards, à moins qu'on ne prît la décision de m'abandonner aux fourmis dans la jungle, sans doute m'auraient échu les tâches d'apprenti chaman ou de sorcier adjoint, la récitation le soir de la cosmogonie et de l'histoire des ancêtres, et telle était après tout la modeste fonction que je remplissais dans ma tribu.

l'expédition Montaigne

On peut chez Takashi comprendre que certains Indiens préfèrent d'ailleurs quitter la forêt. Antônio Callado, dans un roman sautillant et de mauvais esprit paru au Brésil en 1982, *A expedição Montaigne*, inventait le personnage d'Ipavu, lequel, loin de sa tribu et arrivé dans la ville des Blancs, constatait que « pour un Indien, c'était con d'habiter dans la forêt, de boire du cachiri aigre dans une calebasse, alors qu'il pouvait s'en mettre plein la lampe de bière et se tailler au moment de payer l'addition ».

Cette habitude, cette ignorance, ou encore cette décision assumée d'ignorer la curieuse coutume des Blancs de régler leurs consommations, l'avait amené à échouer dans une espèce de maison de redressement où, nourri et logé, il se réjouissait d'avoir quitté son village. C'est là que Vicentino Beirão, militant carioca de la cause indigène, qui entend libérer les Indiens, obtient son élargissement et en fait le guide et le truchement de son expédition. Ipavu accepte dans le seul but de revoir son aigle harpie, enfermé dans sa cage au centre du village, distributeur automatique de plumes pour empenner les flèches. Ils se mettent en route. De la jungle, Beirão n'a vu dans sa vie que la forêt de la Tijuca à Rio et les parcs dessinés par Auguste-François

Glaziou, le paysagiste officiel de dom Pedro II. Des mœurs indiennes, il ne connaît guère que les tableaux de Jean-Baptiste Debret.

Autrement plus radical que Rondon, Beirão lance néanmoins sa croisade indigéniste, affirme que « durant son long voyage, l'Expédition Montaigne va lever et armer les Indiens ». Ils avancent en forêt, traversant des rivières infestées de candirus et de piranhas, le chef portant au-dessus de sa tête une statue de Michel de Montaigne qu'il entend préserver des eaux, et le soir au bivouac relisant les *Essais*, « n'arrêtant pas de jacter son français, la bouche en cul de poule ».

Cet oiseau, pour lequel Ipavu éprouve un si grand attachement, on en trouve une description chez Lévi-Strauss, lorsque au hasard de ses pérégrinations il croise un homme qui, « complètement nu, hors le petit cornet de paille coiffant son pénis, portait sur le dos, dans une hotte de palmes vertes étroitement ficelée autour du corps de l'animal, un grand aigle harpie troussé comme un poulet, qui offrait un aspect lamentable ». En prévision de fabriquer de nouvelles flèches en route, il peut être utile de transporter comme un carquois le grand rapace au plumage gris et blanc, au puissant bec jaune en sécateur. « Plusieurs auteurs anciens relatent que les Tupi élevaient les aigles et les nourrissaient de singes pour les déplumer périodiquement : Rondon avait signalé cet usage chez les Tupi-Kawahib, et d'autres observateurs chez certaines tribus du Xingu et de l'Araguaya. »

Dans l'espoir de retrouver son oiseau fétiche, Ipavu prend son mal en patience, peste contre la vie en plein air, méprise le chef dont il ne parvient pas à percer les motivations, « comme si un Blanc, qui peut parfaitement habiter dans un immeuble d'appartements, préférait dormir dans un hamac, manger avec la main et faire caca dans la forêt ». Beirão n'est pas le premier Blanc énigmatique de sa vie. Il se souvient qu'enfant il avait vu le guérillero Zéca Chimbioa dans son village. Le révolutionnaire égalitariste prétendait que « si les Indiens devenaient maîtres du Brésil, de nouveau tout serait comme avant et tout le monde très heureux, c'est vous dire la stupidité du Zéca Chimbioa, vous imaginez un Blanc très heureux de voir que les arcs et les flèches appartiennent à tout le monde et les cassaves aussi, merde, qui est-ce qui en veut, de ces saloperies ? Tout était à tout le monde parce que les Indiens n'avaient pas la bière, les amuse-gueules, les petits pâtés, ni l'argent, le fric, vérole, parce que personne ne voulait rien de ce que les Indiens avaient et parce que sur la plage ou sur la rive d'un rio les Indiens ne faisaient que passer leur vie à guetter un navire, attendre l'arrivée d'un bateau de Blancs ».

Dans ce livre, les Blancs sont dits Caraïbas. On y apprend aussi que le joli prénom féminin Iracema, en langue des Tupi, signifie Lèvres-de-miel. Ipavu, de cette vie, ne regrette que son aigle harpie. Nous espérions en croiser un nous aussi.

drôles d'oiseaux

Nous les observions à l'œil nu, parfois aux jumelles, privilège dont cependant seul Pierre disposait, depuis que Jean Rolin lui avait confié l'appareil binoculaire de précision avec lequel, dans le bocage de Notre-Dame-des-Landes, arpentant prairies et mares en compagnie d'un groupe de « naturalistes en lutte », ils avaient ensemble surpris le pouillot et la fauvette, la grenouille agile et le triton crêté, attesté de l'immense biodiversité du lieu, et quasiment obtenu à eux seuls l'abandon du projet de construction d'un aéroport.

Chaque soir de notre expédition, nous consignions la liste de nos trophées pour le goût de leur nom et la beauté de leur plumage : l'anhinga et le toucan, le héron et le martin-pêcheur, l'aigrette blanche et la bleue et le courlan, le vanneau téro et le kamichi cornu, le dendrocygne à bec rouge et le caracara, l'ani et le perroquet, le tyran des savanes et le tyran mélancolique dont nous suivions les attaques en plein vol contre les rapaces, leurs coups de bec au crâne de ces volatiles dix fois plus gros qu'eux et fuyant à tire-d'aile, le carouge loriot et surtout l'énigmatique hoatzin huppé que nous cherchions à voir partout, dont nous nous approchions sans bruit en pirogue dans la forêt inondée, pagaies levées, immobiles.

Il nous semblait alors accomplir enfin le rêve amazonien que nous nourrissions à L'Océan lorsque Pierre était enfant, et que nous parcourions à la rame l'étang obscur dans le bois qui jouxtait la maison, guettant hérons blancs et poules d'eau dont les poussins carapataient sur les nénuphars et les lentilles d'eau. Parfois l'été, les nuits de lune, nous descendions lentement du canot pour nager en silence sous les grands arbres sombres, chênes et palmiers et bambous, parmi les ragondins et les carpes et les brochets, dans cette réduction bretonne de jungle à laquelle ne manquait dans les branches que la présence de l'imposant hoatzin et de l'aigle harpie. Nous avions bien surpris sur une rivière brésilienne un aigle-pêcheur arrachant à la surface de l'eau un poisson dans ses serres, et laissant après lui un chapelet de gouttelettes argentées devant le soleil, mais quant au grand aigle harpie, dont nombre d'ornithologues aguerris n'ont jamais vu ne serait-ce que l'ombre d'une plume, eh bien nous non plus.

Il nous faudrait attendre pour cela des semaines, apprendre que le centre animalier de l'Hotel del Parque à Guayaquil en hébergeait un couple. Ceux-là n'étaient pas saucissonnés dans une cage étroite comme celui d'Ipavu. Les Blancs sont davantage respectueux du confort de leurs détenus. C'est aussi qu'ils ont moins besoin de plumes pour leurs flèches. Ces deux aigles bénéficiaient au contraire d'une volière si vaste, laquelle emprisonnait aussi de grands arbres feuillus, qu'ils pouvaient à loisir s'y soustraire tout le jour au regard des visiteurs. Déçus, nous étions allés prendre un verre au bar de l'hôtel, où je m'étais rangé à l'avis de Pierre d'enfreindre le règlement, de retourner dans le parc après sa fermeture. Au crépuscule, nous avions vu fondre au sol l'un des deux grands oiseaux, s'emparer d'une boule de couleur brune et l'emporter, petit singe ou rongeur lâché, effaré, dans l'enclos et offert à leur délectation.

Devant la rapidité de Pierre à identifier les piafs et mémoriser leurs particularités, devant son enthousiasme et la vivacité de son cerveau, je devais bien constater que le mien, surchargé peut-être déjà de trop de noms de lieux et de bestioles, commençait en ce domaine à ramollir. Devant lui, mon émerveillement était vite devenu la contemplation du sien. Aussi lors de certaines rencontres avec nos semblables, face au bonheur de gestes simples de bonté et d'humanité qui échappaient encore à l'horreur économique : alors que nous remontions en canot un chenal au sortir de la forêt, une femme et son fils d'une dizaine d'années nous avaient hélés du bout de leur passerelle. Ils attendaient peut-être là depuis des heures le passage d'une embarcation. La mère agitait les bras comme si elle espérait du secours. Elle était pieds nus, le fils portait des bottes de caoutchouc. Ils nous offraient un plein panier de goyaves et refusaient d'en être payés. Ils en avaient trop. Les guêpent allaient les gâter.

Candide & Auguste

Ces deux-là, dans ma mémoire comme dans celle des techniques de la communication, sont reliés par un fil télégraphique. Ils ont encore en commun d'être nés fils de peu et d'avoir choisi l'armée pour s'émanciper. Quatre ans avant Savorgnan de Brazza et Pierre Loti, Auguste Pavie fait ses classes à l'École navale de Brest, est envoyé sergent à Saigon, aussitôt démissionne. Il apprend la langue du Kampuchéa auprès des bonzes de la pagode à Kampot.

Depuis ce port tout au sud du Cambodge, j'avais suivi sa trace sur une longue verticale jusqu'à Muang Sing sur la frontière chinoise tout au nord du Laos, mais sa première prouesse fut une longue horizontale : on lui doit la pose de la ligne télégraphique de Phnom Penh à Bangkok. Pendant des années, l'équipe d'une soixantaine d'ouvriers trace un long sillon à travers la forêt, dresse les poteaux, suspend le fil noir. Ils transportent avec eux le riz et le sel. Une partie des hommes chasse dans la journée pour nourrir le groupe. Lorsque Pavie sort enfin victorieux de la jungle, on en fait un diplomate et un géographe. Il cartographie le Laos et le Tonkin, agrège aux relevés de sa mission ceux d'autres explorateurs dont Alexandre Yersin, lequel avait ouvert une voie depuis la côte de l'actuel Vietnam vers Phnom Penh à travers la cordillère anamitique.

Survivant à cette existence aventureuse, aux conflits et aux épidémies, Auguste et Candide mourront vieux et dans leur lit, Pavie dans son manoir de Thourie en Ille-et-Vilaine non loin de Teillay, à près de quatre-vingts ans. Il consacre les dernières années de sa vie à la rédaction des volumes illustrés de la Mission Pavie, reçoit en Bretagne ses vieux amis Brazza le découvreur du Congo, Bonvalot l'explorateur du Tibet, Charcot l'arpenteur des banquises.

À plus de quatre-vingt-dix ans, Cândido Mariano da Silva Rondon, depuis son appartement avec vue sur la plage de Copacabana, vieux maréchal fourbu, petit comme un Indien Bororo, entretient encore au milieu de la Guerre froide une correspondance internationale avec les dirigeants de la planète. Ce qui les distingue en effet, ces deux-là, c'est que Pavie, malgré cet espoir qu'il consigne, et qui sans doute l'aide à mourir apaisé – « Quand on me découvrira, je ne sais pas quand, dans vingt, dans cinquante ans peut-être, on sera bien étonné de tout ce que j'ai accompli » –, est quasiment oublié en France, même si un peu moins au Laos, quand, pour Rondon, ce seront de son vivant partout au Brésil les avenues, les statues comme ailleurs celles de Bolívar, et même son nom donné à l'État du Rondônia.

Le futur sertaniste naît au Mato Grosso en 1865 d'un père d'ascendance portugaise et d'une mère indienne bororo, l'enfant métis très tôt orphelin est élevé par l'armée, brillant élève, envoyé à l'Escola Superior de Guerra de Rio, il en sort ingénieur et colonel. Il a vingt-quatre ans lorsque le coup d'État militaire, soutenu par les millionnaires du café, renverse Pedro II. La République proclamée le renvoie dans sa brousse natale à la tête de la CLTEMGA, Comissão de Linhas Telegráficas Estratégicas de Mato Grosso ao Amazonas. C'est un peu long. On l'appellera Comissão Rondon.

Au-delà du défi technique, c'est de l'invention d'un pays qu'il s'agit, de l'expansion du pouvoir de l'État républicain sur un territoire de plus de quatre mille kilomètres du nord au sud, de plus de quatre mille kilomètres de l'est à l'ouest, de la fondation d'une nation positiviste selon les préceptes de la philosophie d'Auguste Comte, et pour cela en but à l'obscurantisme de l'Église catholique et des conservateurs. Les populations sont assemblées pour l'inauguration de chaque station télégraphique, avec célébration et hymne laïc à la science, salut au drapeau et discours patriotiques. En 1865, l'année de la naissance de Rondon, la nouvelle de l'invasion du pays par les troupes paraguayennes avait mis six semaines pour parvenir jusqu'à Rio. Des mois après la destitution de Pedro II, en 1889, des potentats locaux croyaient encore représenter l'empire.

Les premiers efforts portent sur les confins sud et est, vers les frontières disputées du Paraguay, puis de la Bolivie, où débarque Percy Fawcett en cette année 1906 de l'arrivée de Rondon. De part et d'autre on parcourt ces terres jamais encore cartographiées. La troupe du positiviste comtien se dirige vers le nord, vers les États d'Acre puis d'Amazonas, trace une voie rectiligne qui coupe la forêt, picadão de trente mètres de large pour que les chutes d'arbres ne viennent endommager les poteaux télégraphiques et couper le fil noir suspendu. Des milliers de kilomètres de relevés topographiques sont effectués. Lui, le fils de l'Indienne, le voilà aussi géographe et ethnologue. De part et d'autre de la ligne, pendant que ses hommes défrichent et progressent, il mène des expéditions vers chez les Bororo et les Nambikwara, fonde le Service de protection des Indiens, choisit sa devise : « Mourir s'il le faut mais tuer jamais. »

Tuer, c'est plutôt la malaria qui s'en charge. À mesure qu'on se dirige vers l'Amazonie, vers les rios Juruena et Madeira, la troupe se fait récalcitrante, le recrutement difficile. Jusqu'au fond des prisons militaires de Rio, on sait que la moitié des seringueiros tombent comme des mouches faute de soins. Les soldats qui acceptent une remise de peine et s'enrôlent partent avec le projet de déserter. La mission traîne pourtant derrière elle tout un flot d'émigrants et de cherche-fortune. Plusieurs fois des épidémies provoquent des hécatombes qui interrompent le travail pendant des mois. Rondon découvre et nomme des rivières. On le croit mort. Il avance.

En octobre 1913, alors qu'il inaugure la station télégraphique de Barão de Melgaço, l'appareil crépite. C'est bon signe. Rondon sourit, puis fronce les sourcils : le message est envoyé par son ancien condisciple à l'Académie militaire Lauro Müller, devenu ministre des Affaires étrangères. Theodore Roosevelt, ex-président des États-Unis, souhaite terminer au Brésil sa tournée de conférences par un voyage en Amazonie. Ça n'est pas le moment. Il lui propose non pas une excursion mais de l'accompagner dans son exploration du rio Dúvida. Il veut savoir si celui-ci verse ses eaux dans le Madeira. Roosevelt accepte. Rondon descend à Rio. Le voilà général. Ils remontent ensemble. Roosevelt est accompagné de son fils.

Dix ans avant le père et le fils Fawcett, le père et le fils Roosevelt lancent leur expédition en janvier 1914. Il est déjà un peu vieux pour la jungle, Theodore, âgé de cinquante-cinq ans. Le fils Kermit, ingénieur en génie civil, en a vingt-cinq. Ils se sont adjoint deux naturalistes de l'American Museum, l'ornithologue George Cherrie et le mammalogiste Leo Miller. Leur seule langue commune avec Rondon est un français hésitant. Assez vite, c'est le fils qui est atteint de malaria. Le docteur Cajazeira consigne dans le journal de route une fièvre de quarante degrés. Rondon leur impose un train d'enfer, seulement interrompu de temps à autre pour dresser les relevés, des heures de marche sous le soleil ou les averses. Après des centaines de kilomètres parcourus en deux mois, ils atteignent fin février le rio Dúvida.

Le fils est malade et les vivres commencent à manquer. Des rixes éclatent dans la troupe. Les hommes craignent la vengeance de tribus dévalisées, des querelles et des meurtres. Les relations se détériorent avec Rondon. Roosevelt exige l'arrêt des relevés. Il veut accélérer l'allure, sortir au plus vite de la forêt. Ils naviguent sur le Dúvida. Une embarcation chavire. Le père est blessé à la jambe début avril, le lendemain victime à son tour d'une attaque de malaria. Le docteur Cajazeira lui injecte de la quinine toutes les six heures. Fin avril ils atteignent la confluence du Dúvida et de l'Aripuanã. Le père a perdu vingt kilos. On vient de parcourir près de sept cents kilomètres en soixante jours. Un vapeur, judicieusement alerté par le télégraphe, les attend sur l'Aripuanã. Rondon salue le navire qui s'éloigne, hausse les épaules, s'en va reprendre ses tracés.

Les quatre États-Uniens gagnent Manaus par le Madeira. La jambe est soignée. Ils sont à Belém le 9 mai, embarquent pour New York. Theodore Roosevelt écrit son odyssée dans l'enfer vert, en juin part donner des conférences à Londres.

C'est l'attentat de Sarajevo. On passe à autre chose. Le père, qui ne s'est jamais vraiment remis de ses fièvres équatoriales, mourra cinq ans plus tard, en janvier 1919. Quant au fils, soldat pendant les deux guerres mondiales, décoré de la croix militaire, alcoolique, il se suicidera en Alaska en 1943. Depuis longtemps Rondon avait achevé le grand labeur des poteaux et du fil noir suspendu, la magnifique et vaine aventure de sa vie.

Au début des années vingt, à l'aboutissement d'une ligne de plus de mille cinq cents kilomètres, le télégraphe crépite une dernière fois : Rondon apprend le projet d'une Conférence mondiale des radiocommunications. Depuis les travaux de Guglielmo Marconi, les techniques de la radio-télégraphie ont progressé. Le monde entier adopte la TSF, sans fil noir suspendu, comme le nom l'indique. Au moins Pavie n'aura pas connu ce déboire.

Les immenses efforts inutiles de Rondon et de ses hommes auront bâti une manière de nouvelle muraille de Chine, un vestige énigmatique abandonné dans la jungle à la curiosité des générations futures. Dans les années trente, Rondon reprend comme Pavie avant lui le travail de balisage des frontières avec la Colombie et le Pérou, à la tête d'une commission internationale, puis celui du Service de protection des Indiens. Comme Pavie avait ouvert à Paris l'École cambodgienne, il soutient le projet du parc national du Xingu, dont les frères Villas-Bôas prendront la direction.

En cette année 2018, le Service de protection des Indiens estimait à quelque huit cent mille le nombre d'indigènes vivant encore en Amazonie hors réserve, selon les lois et coutumes animistes de leurs différents peuples de chasseurs-cueilleurs disséminés dans l'immense forêt au bord des cours d'eau, loin des poteaux rondoniens à l'abandon, au nombre desquels comptait ce survivant solitaire récemment repéré par la caméra.

Dans les années trente, pendant que Rondon arpente les frontières de l'ouest et du nord, un jeune agrégé de philosophie quitte Mont-de-Marsan, devient professeur de sociologie à l'université de São Paulo tout au sud. Claude Lévi-Strauss imagine monter des expéditions vers les villages indiens du nord : « En suivant la ligne télégraphique, ou ce qui en restait, il était tentant de chercher à savoir qui étaient exactement les Nambikwara et, plus loin vers le nord, ces populations énigmatiques que personne n'avait vues depuis que Rondon s'était borné à les signaler. »

Il obtient les autorisations, achète des bœufs, des mulets, le barda, la verroterie, et sept ans après Fleming il monte vers le Mato Grosso. Rondon, qui déjà s'était opposé à l'expédition des Anglais lancés à la recherche de Fawcett, ne voit pas d'un bon œil cette invasion du Brésil par les scientifiques européens, cette ruée vers l'Indien qu'il préférerait qu'on laisse en paix. On inventerait plus tard cette boutade selon laquelle un groupe de chasseurs-cueilleurs était à présent constitué de dix chasseurs, dix cueilleurs et dix ethnologues.

Lévi-Strauss décrira dans *Tristes Tropiques* son arrivée sur ce territoire, la piste défrichée et les centaines de kilomètres d'inconnu de chaque côté, de loin en loin les traces des postes télégraphiques repris par la brousse : « il est vrai qu'il y a le fil ; mais celui-ci, devenu inutile aussitôt posé, se détend sur des poteaux qu'on ne remplace pas quand ils tombent en pourriture, victimes des termites ou des Indiens ».

père & fils

Lorsque nous nous étions rencontrés une première fois à São Paulo, Bernardo Carvalho venait de publier son roman *Nove Noites*. Au moment de la parution française de *Neuf nuits*, en 2005, je lui avais proposé de venir la présenter à Saint-Nazaire. Depuis São Paulo, l'enfant et son père voyagent à bord d'un petit avion monomoteur en direction du nord, jusque vers São Miguel do Araguaia. Le père est aux commandes. Le fils se souvient de leurs traversées tumultueuses d'orages de grêle et de foudre, d'un atterrissage de fortune à Barra do Garças, un jour que son père avait oublié de procéder à un mélange d'huiles, de crises de malaria. L'enfant avait une dizaine d'années : « Les voyages avec mon père m'ont plutôt fourni une vision et une conscience de l'enfer associées à l'exotisme. J'ai toujours dû l'accompagner dans le Mato Grosso et le Goiás car la loi nous obligeait à passer nos vacances ensemble (mes parents étaient séparés et ils étaient arrivés à un accord en justice au sujet de ma garde et de mon entretien) et lui devait visiter ses fermes. »

Au hasard de leurs tournées, le père obtient de pouvoir se poser sur la piste du parc national du Xingu grand comme la Belgique, et de rendre visite aux frères Villas-Bôas qui le dirigent. Avant leur arrivée, « mon père m'a rendu le service d'annoncer que j'étais l'arrière-petit-fils du maréchal Rondon par ma mère ». Le père pensait utiliser l'ascendance de son fils comme une carte de visite. « Quand nous avons atterri, le monomoteur a été entouré d'Indiens, des enfants pour la plupart qui, en voyant un garçon de leur âge, ont immédiatement commencé à me toucher et à m'arracher mes vêtements, encouragés par ma frayeur. » L'arrière-petit-fils a moins d'aplomb que l'aïeul, « j'avais beau crier et appeler mon père il ne pouvait rien faire car lui aussi était immobilisé et entouré d'Indiens ».

Pour l'édition brésilienne, Carvalho avait fait placer, à l'endroit habituel d'un petit portrait de l'auteur, une photographie de lui enfant, le regard sombre et mécontent, donnant la main à un Indien colossal et presque nu, manifestement tout aussi mécontent de cette mise en scène sans doute voulue par le père. Cette photographie avait été reprise en pleine page pour la couverture de la traduction française. Elle renvoyait dans le livre à ce jour où, dans le Xingu, « il était inutile de résister. À ce que j'ai cru comprendre, ils voulaient me déshabiller pour que je sois nu comme eux ».

La lecture de cet épisode dans *Neuf nuits* avait avivé le souvenir du premier livre que j'avais lu seul, *Le Tapis volant*, dans lequel un enfant de mon âge, le petit Michel, prononçait la formule magique Abracadabra et se retrouvait « en pleine forêt vierge. Il descendait une rivière dans un canot indien. Des alligators nageaient dans l'eau verte. De la mousse épaisse pendait aux arbres le long du rivage ». Cette lecture, antérieure même à celle du *Moravagine* de Cendrars, j'allais la retrouver plus tard encore à la découverte d'un bateau assailli par d'autres Indiens criards, ses haleurs comme aviateurs cloués nus. Mais le petit Michel, lui, évitait de se faire mettre à poil par les Indiens. Si telle avait été la situation, jamais ma tante Monne, si pudibonde, ne m'aurait offert ce livre.

Devenu adulte, Carvalho, que terrorisaient les Indiens du Xingu, accompagne une mission sur la zone des Krahô. Il enquête sur la mort mystérieuse du jeune ethnologue Buell Quain. C'est à nouveau une histoire de père et de fils. Quain est né dans le Middle West, enfant il accompagnait son père dans ses voyages d'affaires en Allemagne, en Hollande et en Scandinavie. Puis le père avait abandonné femme et enfants. Comme Malcolm Lowry et pour les mêmes raisons, avec à la fois le goût de partir au loin et de contrecarrer les projets paternels, Buell Quain, plutôt que d'entrer à l'université, avait embarqué comme matelot sur un cargo à destination de la Chine.

Plus tard diplômé, il avait effectué un premier séjour d'études aux îles Fidji dans le Pacifique Sud, puis avait choisi les Indiens du Brésil. Un an avant son suicide, il avait voyagé en compagnie de Claude Lévi-Strauss à bord d'un vapeur en direction de la Serra do Norte, fin avril 1938. Les deux jeunes ethnologues étaient descendus dans le même petit hôtel à Cuiabá, l'Esplanada, où ils avaient échangé leurs impressions à la lecture de leur illustre devancier Karl von den Steinen, l'auteur de *Unter den Naturvölkern Zentral-Brasiliens*, lequel avait décrit les Indiens du Xingu à la fin du dix-neuvième siècle.

Cette année-là de leur rencontre, Lévi-Strauss a trente ans et Quain vingt-six. Chacun part de son côté vers son territoire de recherches. Lévi-Strauss séjournera dans le Mato Grosso de juin à septembre. Quain s'installe chez les

Trumaï, sur les rives du Culuene, inaccessibles par le Xingu à cause des cataractes. De la tribu guerrière redoutée ne survivent plus que dix-sept hommes, seize femmes et dix enfants, répartis dans quatre huttes. Il les trouve « ennuyeux et sales », vit à longueur de jours et de nuits parmi eux cet ennui, alors que « ces gens s'ennuient et ne le savent pas ». Parce que l'ennui est une invention occidentale, cet ennui majuscule que nous connaissons tous, qui pousse l'un vers l'Abyssinie l'autre vers les Marquises, à la recherche de ces « épices morales » que mentionne Lévi-Strauss, ces « épices morales dont notre société éprouve un besoin plus aigu en se sentant sombrer dans l'ennui ». Souvent ça se termine mal. Quain déménage vers chez les Krahô, dans un village de quelque deux cents Indiens. Il apprend leur langue. Interrogés plus tard par les enquêteurs, les Indiens le décriront comme un Blanc bizarre qui parfois piquait des crises. Mais quel ethnologue ne passerait pas pour un être bizarre aux yeux d'un Indien ?

Moins d'un mois avant son suicide, il écrit le 4 juillet 1939, pour sa consœur Margaret Mead, alors à Bali, une lettre jamais envoyée qu'on retrouvera dans son sac : « Le traitement officiel a réduit les Indiens à la paupérisation. Il existe une opinion très répandue (parmi les quelques personnes qui s'intéressent aux Indiens) selon laquelle la façon de les aider consiste à les couvrir de cadeaux et à les hisser au niveau de notre civilisation. On peut attribuer tout cela à Auguste Comte qui a exercé une influence considérable sur l'enseignement supérieur local et qui, par le truchement de son disciple brésilien specta-culaire, le vieux général Rondon, a corrompu le Service de protection des Indiens. Je n'ai pas encore réussi à prouver la connexion logique, mais je sais qu'elle existe. » Elle semble en effet difficile à établir, cette connexion entre les Krahô et la manipulation du Service de protection des Indiens par Auguste Comte. S'agit-il encore d'un travail scientifique ou de l'œuvre d'un fou délirant ? Il demande à deux jeunes Indiens de l'accompagner dans la forêt.

Est-ce dans le but de se fuir lui-même ou la crainte d'une nouvelle crise ? Il semble qu'il tentait alors de revenir avec ses deux jeunes guides vers le village de Carolina à la frontière du Maranhão. Ils s'arrêtent pour la nuit. Quain brûle toutes les lettres qu'il avait reçues de sa famille, envoie l'un des garçons avec un billet vers une ferme qu'il sait être non loin. L'autre à son réveil voit Quain en train de se taillader le cou et les bras avec son rasoir de barbier. Il prend la fuite à son tour. Les deux Indiens reviennent accompagnés du fermier et de ses vachers. Quain est pendu à un arbre avec la corde de son hamac, au-dessus d'une flaque de sang, que la terre a bu déjà.

la mort du père

Avec ce goût que nous partageons pour les éphémérides et les coïncidences de dates, Bernardo note dans son roman que « Buell Quain s'est tué dans la nuit du 2 août 1939, le jour même où Albert Einstein a envoyé au président Roosevelt la lettre historique dans laquelle il l'alertait sur la possibilité de l'existence de la bombe atomique, trois semaines avant la signature du pacte de non-agression entre Hitler et Staline, feu vert pour le début de la Seconde Guerre mondiale et, pour beaucoup, une des plus grandes déceptions politiques du XXᵉ siècle ».

Dans les dernières pages du livre, il écrit la mort de son père, le pilote d'avion, le père flamboyant et séducteur réduit à l'état d'épave. Dans une clinique de São Paulo, son voisin d'infortune est un vieux photographe. « Mon père partageait la chambre avec un Américain de quatre-vingts ans qui vivait au Brésil depuis longtemps. » L'infirmière lui confie que le vieil homme « n'a personne ici, aucun ami », mais qu'ils « essayaient de retrouver son fils aux États-Unis, avant qu'il ne meure ».

Lors d'une rencontre récente, j'avais interrogé Bernardo sur la part de fiction que contenait son roman. Je venais de le relire, il me semblait que la grande question y était celle de l'observation, de la présence de l'observateur qui, comme dans la théorie microphysique de Werner Heisenberg, ne peut pas ne pas modifier ce qu'il observe, et les ethnologues ne sauront jamais comment vivent les Indiens quand ils ne doivent pas subir la présence de l'un d'eux pendant des semaines dans leur village, assis devant sa hutte à remplir sans cesse ses carnets, alors qu'ils ignorent l'existence même de l'écriture. Et que cette règle universelle valait aussi pour les pères et les fils, qu'un père qui se sait observé par son fils n'est pas celui qu'il est en l'absence du fils, et que l'homme que Pierre était en mon absence m'était sans doute aussi inaccessible que la vie des Trumaï.

Quant à la part de fiction, je voyais bien que Bernardo préférait ne pas trop en dire, mais il me certifiait que les propos rapportés de Lévi-Strauss ne l'étaient pas, fictifs. Du temps qu'il avait été correspondant à Paris de *La Folha de São Paulo*, il avait réalisé plusieurs entretiens avec le vieil homme. Celui-ci lui avait confié ces phrases reprises dans le roman : « Plus les cultures communiquent entre elles, plus elles tendent à s'uniformiser et moins elles ont à communiquer. Le problème pour l'humanité, c'est qu'il y ait une communication suffisante, mais pas excessive, entre les cultures. Lors de mon séjour au Brésil il y a plus de cinquante ans, j'ai été profondément ému, évidemment, par le destin de ces petites cultures menacées d'extinction. Cinquante ans plus tard, je fais une constatation qui me surprend : ma propre culture est elle aussi menacée. » Cette culture que Lévi-Strauss voyait déjà menacée, c'était celle de l'humanisme de Montaigne. Et, tout comme les Trumaï déjà en voie d'extinction dans les années trente, nous étions peut-être devenus les derniers des Mohicans.

à bord

Contre le fort courant, la petite embarcation de louage parfois bourlinguait, roulait et tanguait à la fois. « Nous craignions de sancir », écrivait Cendrars dans *Moravagine*. Nous traversions le fleuve et la ligne de confluence des eaux au large de Manaus.

Si, pour les Péruviens, c'est déjà l'Amazone qui baigne Iquitos, bien plus à l'ouest, pour les Brésiliens elle prend son nom avec la confluence ici du rio Negro, descendu depuis le nord, et du Solimões, nom donné par eux au fleuve depuis l'union au Pérou du Marañón et de l'Ucayali. En aval de Manaus, ces deux fleuves, de trois kilomètres de large chacun, coulent côte à côte dans le même lit sans se mélanger pendant des dizaines de kilomètres, cette répugnance à se mêler résultant, selon ce que j'avais pu comprendre, à la fois de différences de température et de composition chimique. Finalement c'est le Solimões, plus rapide, au débit trois fois supérieur, qui l'emporte, avale le Negro, devient l'Amazone, poursuit son chemin majestueux vers Santarém puis Belém.

Sur chaque rive, c'était l'habituel paysage de forêts basses et de marécages où croissaient les grands nénuphars Victoria, d'aigrettes blanches immobiles, de fermes d'aquaculture et de maisons palafittes aux terrasses encombrées de volaille. Le sol fertile de l'Amazonie est fragile car peu épais, de grands arbres culbutés par les vents montraient leur couronne de racines qu'on appelle ici des soleils. Dans l'une des nouvelles de son recueil *A cidade ilhada*, la ville-île, la ville au milieu des eaux, Milton Hatoum invente le personnage d'un vieux savant japonais qui voulait aller mourir sur les rives du rio Negro : « Son métier l'avait amené en des terres lointaines et, sur toutes les eaux où il avait navigué, en Afrique comme en Asie, n'avait fait que croître en lui le désir de connaître le principal affluent de l'Amazone. Le temps lui manquait pour un long voyage. Et il ajouta : le temps à vivre. » On aimerait en effet dépasser le port de Manaus pour remonter le Negro, percer la belle énigme dite du « canal de Casiquiare », lequel relie le bassin amazonien à celui de l'Orénoque au Venezuela, canal qu'on lit chez La Condamine, chez Humboldt qui fut le premier à en dresser la carte, chez Verne et encore chez Gheerbrant.

avec le consul

Où que j'aille Manaus me poursuit.

Hatoum, *A cidade ilhada*

C'est souvent le nom des villes lointaines qui suscite notre désir d'y aller voir. Bien sûr toutes les villes le sont, lointaines. Mais celles qui sont lointaines des territoires de notre enfance, celles auxquelles les premiers voyageurs ont attribué dans leur langue des orthographes farfelues, au petit bonheur : c'est en français ce « u » de Manaus qui en fait un nom presque allemand, c'est le « z » de Cuzco, autrement plus énigmatique que le Cusco des Espagnols. Milton Hatoum, qui a vécu son enfance à Manaus, avait imaginé deux poètes qui rêvaient ensemble dans cette ville aux deux syllabes de Paris. Seule la littérature nous offre d'approcher la vérité des lieux, surtout la relecture des écrivains par d'autres écrivains, de génération en génération. Milton avait écrit à propos de la mission de l'auteur d'*Os Sertões* et de la malédiction amazonienne : « Dans des pages mémorables, Euclide da Cunha semble décrire la réalité telle qu'il l'a imaginée, ou comme un voyageur peut encore la voir aujourd'hui : une région où les hommes travaillent pour devenir esclaves. »

Dans *La Jangada*, Jules Verne décrit les igarapés, ces
« canaux qui sillonnent capricieusement la ville et lui
donnent un aspect quelque peu hollandais ». Cette ville
qu'il n'a jamais vue, il la nomme Manao, et ses habitants
sont dans le roman des Manaens. La proposition ne sera
pas davantage retenue que celle du mot « atterrissement »
dans *Cinq semaines en ballon*. Une cinquantaine d'années
plus tard, Henri Michaux ajoute dans *Ecuador* un « s » à la
graphie vernienne : « Pendant un kilomètre, une énorme
muraille très haute, plaquée à droite du fleuve. Derrière et
au-dessus : Manaos. À deux mille kilomètres de tout, cette
ville, qui a cent mille habitants, et si vous suivez une rue,
au bout, c'est la forêt. » Entre ces deux livres, la capitale
mondiale du caoutchouc avait connu son apogée puis son
déclin.

Depuis le port sur le rio Negro, le fouillis des navires
de pêche et de passagers devant les halles du Mercado
Adolpho Lisboa, avec Pierre nous empruntions l'avenue
Getúlio Vargas qui monte vers le plateau, progressions au
milieu d'une foule dense et bruyante. Manaus était une ville
qui ne ressemblait toujours à rien au milieu de nulle part.
Si elle comptait encore deux ou trois cent mille habitants
dans les années cinquante, c'était à présent plus de deux
millions : ni égouts, ni épuration, ni traitement des déchets,
les igarapés comblés de détritus de plastique et d'usten-
siles au rebut. Au nord du centre historique s'étendait une
vaste banlieue nord-américaine de zones commerciales aux
enseignes mondialisées, que nous avions dû traverser pour
rejoindre la BR174 et nous rendre chez Takashi.

S'ils revenaient un siècle après, ces habiles ingénieurs
anglais qui avaient élevé la ville la plus riche du monde au

cœur de la jungle, la première ville électrifiée du Brésil, ils verraient le pont de fer toujours en service, les halles, chercheraient les docks du port flottant où se négociaient à prix d'or les balles de caoutchouc, remonteraient vers la place Saint-Sébastien, retrouveraient l'opéra et ses verreries de Murano, son dôme de mosaïque alsacienne, sur le côté de la place l'église venue d'Italie, dissymétrique, parce que l'un des deux clochers sombra au fond de l'Atlantique, mais tout autour les immeubles en ruine, noircis, aux toits effondrés, mangés de fougères et de lianes, près du fleuve l'usine de pompage qui jamais ne fonctionna, achevée l'année de la banqueroute et depuis à l'abandon.

En ce mois de mai 2018, descendait du nord un flot incessant de très nombreux Vénézuéliens fuyant le régime de Nicolás Maduro. La grève de sept cent mille camionneurs bloquait toutes les routes du pays et l'état d'urgence venait d'être décrété à São Paulo. Organisé par leur syndicat, celui-ci peut-être manipulé à l'approche de l'élection présidentielle brésilienne, ce mouvement exigeait l'abandon par le pouvoir de l'augmentation des prix du carburant. Lula était encore le favori des sondages mais dormait en taule. Derrière lui progressait le candidat d'extrême droite Jair Bolsonaro, capitaine de réserve. L'inquiétude croissait quant à l'approvisionnement de la cité isolée. On commençait à rationner essence et gasoil pour les navires et les voitures. Des vols étaient annulés par manque de kérosène. La centrale électrique fonctionnait au fioul et la production allait en être limitée. Des manifestations populaires appelaient bruyamment en ville au coup d'État militaire.

Dans la perspective de rester ici plus longtemps que prévu, à ne plus manger que les tambaquis et les pirarucus des fermes aquacoles, nous avions effectué une visite de courtoisie à notre consul honoraire. Dominique Chevé officiait dans la cour de l'Alliance française, sous un préau, assis sur une chaise de jardin en plastique blanc. Devant lui, sur une table du même matériau, patientait un tampon encreur et une dizaine de passeports français flambant neufs. Il était au bord de la retraite, nous apprenait-il, mais dirigeait encore une entreprise de « matériel de protection personnelle », formulation dans laquelle il me semblait entendre un euphémisme pour la vente de flingues et de gilets pare-balle, mais non, il commercialisait des casques de chantier, des masques anti-poussière et des souliers coqués.

Au cours de notre conversation, il en viendrait à énumérer avec gourmandise les arrondissements parisiens qu'il avait habités dans une autre vie. Depuis longtemps au Brésil, depuis une dizaine d'années à Manaus, l'homme était un peu lowryen. On soupçonnait là-dessous des amours enfuies. Je voyais en lui le personnage fictif d'un consul chilien à Iquitos dans *Un paradis sur l'Amazone* de Carlos Franz. Le nôtre gérait ici une centaine d'inscrits consulaires. Son énergie était surtout requise, déplorait-il, par les nombreuses mères célibataires brésiliennes d'enfants abandonnés par des pères français, auxquelles la France magnanime apportait un modeste soutien financier. Pierre, laconique, lui avait demandé si, à l'inverse, un vieux père français abandonné ici bénéficierait de ces avantages et d'une petite pension.

à Manaus

Le restaurant de l'hôtel Amazônia était le Fitz Carraldo, petit jeu destiné peut-être à éviter de payer des droits à Werner Herzog pour son *Fitzcarraldo*. Souvent en fin d'après-midi, nous quittions cet hôtel pour traverser le largo São Sebastião, au centro do Centro bichonné, néanmoins serti d'immeubles écroulés, longions le théâtre Amazonas – lequel avait depuis longtemps retrouvé sa couleur rose originelle, après qu'il avait été badigeonné de bleu caserne, comme tous les bâtiments publics, pendant la dictature militaire –, et poussions la porte de l'édicule peint en vert sombre, d'une teinte identique à celle des kiosques à journaux parisiens, où se tient la librairie d'ancien de Joaquim Melo.

Le premier jour, parce qu'une affiche vantait à l'extérieur la dernière publication de Milton Hatoum, je lui avais demandé si l'écrivain le plus illustre de Manaus était en ville ces temps-ci, et m'étais prévalu de notre très ancienne camaraderie. Suspicieux, il avait sorti son téléphone et l'avait appelé, avait un peu papoté avec lui, m'avait tendu l'appareil. Milton était à São Paulo. Nous ne nous étions pas revus depuis notre rencontre fortuite à Recife dix ans plus tôt en compagnie de Lucila, nous désolions de nous manquer cette fois-ci. Après que j'avais montré cette patte blanche, les après-midi au milieu des rayonnages, dans lesquels nous fouillions, étaient chaleureux. Joaquim recevait des amis et nous parlions avec eux de littérature et de politique en buvant du café, il apportait de chez lui des raretés, des livres susceptibles de nous intéresser. Je lui avais offert des traductions des miens éditées par Samuel Titan lui aussi ami de Milton, et dont les grands-pères, l'un à Belém et l'autre à Manaus, étaient en affaires déjà du temps de Getúlio Vargas. Joaquim rajoutait à la pile de ceux que j'avais choisis, parmi lesquels cette biographie de Rondon déjà mentionnée, ainsi que *Soldados da borracha* d'Oliveira Lima. Pierre avait fait l'acquisition d'un manuel de l'avifaune amazonienne.

Préparant notre départ pour la forêt, où nous ignorions ce qui nous attendait, après avoir retenu des places pour l'opéra, nous profitions comme à bord de longs moments de calme et de lecture à l'Amazônia, devant la baie vitrée et les palmes mouillées agitées par la bourrasque, observions entre les averses le vol stationnaire des colibris, sifflotions du vin blanc chilien, puis le soir partagions notre goût commun des alcools forts, nous enfilions la cachaça au jambu dont nous avions fait provision à Alter do Chão. Cette plante aux petites feuilles vertes et fleurs en boutons jaunes, appelée aussi cresson du Para, de son nom français véritable, et encore moins su, la brède mafane, si ce n'est à Madagascar, et à Manaus où elle intègre la soupe tacacá : mêlée à l'alcool, elle provoque en bouche de petites décharges électriques pétillantes et astringentes. Pierre partait le matin photographier dans les rues avoisinantes les immeubles délabrés et les décombres, dans le but de préparer une exposition, ou d'alerter les services du patrimoine de l'Unesco.

Retour de chez Takashi, ahuris comme si nous revenions du cœur des ténèbres, nous avions sorti des bagages les places pour l'opéra et nos derniers vêtements propres, beaux atours qui paraîtraient néanmoins haillons de gueux au milieu des habits et des robes de soirée. Nous montions le tapis rouge du grand escalier, ces marches que gravit en courant Klaus Kinski essoufflé au début de *Fitzcarraldo*, dans son costume blanc maculé de boue, les mains ensanglantées d'avoir pagayé : la salle est comble, inaugurée par les barons du caoutchouc pour le réveillon du 31 décembre 1896. Klaus Kinski et Claudia Cardinale écouteront debout la grande voix de Caruso, pour lequel l'aventurier voudrait édifier un opéra à Iquitos. Devant le théâtre, sur les pavés caoutchoutés du parvis, les cochers servent aux chevaux du champagne dans des seaux.

Pour avoir survolé le livret qu'on nous avait remis avec les billets, nous savions que nous allions assister à une histoire de père et de fils. On donnait la première de l'opéra *O Volcão azul* du compositeur brésilien João Guilherme Ripper. Ce volcan bleu était celui de Kawah Ijen en Indonésie. Plutôt que français en Algérie ou portugais au Brésil, l'infâme colon conspué était néerlandais, ce qui arrangeait tout le monde. Remontant les travées, nous constations que le public était assez peu représentatif de la diversité brésilienne et métissée tant louée, composé presque exclusivement de Blancs d'âge mûr et sur leur trente et un. La longueur très excessive des entractes, sous les lustres en cristal suspendus à la coupole, parmi les bustes de Racine et de Molière, offrait peut-être à ce gratin, profitant des soirs de première, de manigancer de beaux mariages au sein de la bourgeoisie manaenne.

Améliorant nos compétences lusophones à la lecture du texte défilant au bas de la scène sur un écran lumineux, nous nous étions souri à la fin du dernier acte, assis côte à côte dans nos fauteuils de velours rouge à moulures dorées : le fils tue son père par empoisonnement. Aussitôt il découvre son amour filial. C'est trop tard. Le père est mort. Le fils en est bien marri.

Nous étions descendus une dernière fois vers le port, à la recherche d'une provision de beauté plutôt que d'aliments, parcourions la halle immense et bruyante, où sur des paillasses blanches couvertes de glace et disposées à angles droits étaient offerts à la vue les amoncellements scintillants des poissons d'eau douce dont nous avions tenté, depuis notre arrivée, de mémoriser les noms et les saveurs, les monticules colorés et odoriférès des légumes, des herbes, des épices et des fruits, tout cela que les habitants de Manaus pourraient tout de même s'enfiler, si la pénurie occasionnée par la grève des camionneurs soustrayait à leur appétit tout produit importé aussi exotique que le cassoulet de Castelnaudary ou la bouillabaisse marseillaise, dans l'allégresse morale et vertueuse du circuit court.

Depuis ce quai, devant la halle, Cendrars renvoie vers l'Europe Moravagine et ses compagnons, libérés par les Indiens bleus : « Nous sommes à bord du *Marajô*, petit vapeur brésilien qui fait le voyage direct de Manaos, province d'Amazonas, à Marseille, département des Bouches-du-Rhône. Nous descendons l'Amazone durant mille milles marins, nous voguons sur le plus ancien fleuve du globe, dans cette vallée qui est comme la matrice du monde, le paradis de la vie terrestre, le sanctuaire de la nature. Mais que nous importe la nature, les plus belles formes de la végétation, les plus rares spectacles de la création ? Nous ne quittons pas l'infirmerie du bord. Nous rions. Enfermés. La main dans la main. Moravagine et moi. » Par cette ligne maritime imaginaire, il les renvoie à la réalité et à l'Histoire. « Nous arrivâmes à Paris comme les portes de la ville se fermaient sur la fin de l'affaire Bonnot. » C'en est fini des Indiens bleus.

Quant à nous, c'est dans l'autre sens que nous entendions progresser, poursuivre vers l'ouest, et le Pérou.

vers chez l'Inca

Trois ans plus tôt, retour du chalet chamoniard des Mégevand, avec Véronique Yersin nous visitions le Musée d'ethnographie de Genève où une exposition temporaire, de grande dimension – celle-ci présentait entre autres la reconstitution d'un haut mur de palais décoré, dont les couleurs avaient été préservées pendant des siècles sous le sable –, offrait au public les plus récentes recherches menées sur les Indiens Mochica, groupe ethnique à ce point fascinant que, quelques mois plus tard, nous traversions le jardin planté de cactus monstritos et d'euphorbe candélabre du musée Larco à Lima, rue Simon-Bolivar, où se tient la réserve la plus considérable des fouilles effectuées sur leur territoire côtier.

Parmi les peuples pré-incaïques, davantage que celui des Nazca et leurs énigmatiques géoglyphes visibles du ciel, davantage que celui des Lima qui élevèrent les hautes pyramides dites « en bibliothèques » de Huaca Pucllana, emplies de femmes et d'enfants suppliciés, celui des Mochica montre une ingéniosité du détail, un goût raffiné des arts décoratifs dans les petits objets du quotidien, poteries et céramiques qui donnent l'impression de vivre au milieu d'eux, des animaux domestiques et sauvages, fruits, plantes, visages traités avec humour et scènes érotiques, une évolution pendant huit siècles qu'on lit par strates dans les sables de la côte, culture qui avait atteint son épanouissement puis disparu du temps que les civilisations ignoraient encore leur existence réciproque, développaient chacune de son côté son génie architectural et artistique, sa vie matérielle et spirituelle, son agriculture, ses mets et ses dieux propres. C'est très végétal, une civilisation, ça naît on ne sait pas trop comment, ça pousse, ça grandit, ça fleurit, ça fane, et ça meurt, on ne sait pas trop non plus pourquoi, sauf en cas d'invasion et d'extermination.

Aux alentours des douzième et treizième siècles, alors qu'apparaissait au Japon le pouvoir féodal des shoguns, qu'on élevait en Europe les cathédrales, que les Khmers atteignaient leur apogée angkorienne, que la dynastie des Zagwé faisait creuser dans la roche les églises monolithiques de l'Éthiopie, c'était ici la montée en puissance hégémonique des Incas qui allaient mettre au pas toutes ces cultures, peuple d'ingénieurs et d'administrateurs et de militaires, bâtisseurs d'un État despotique qui allait organiser des déplacements forcés de populations, l'installation au Cuzco, en altitude, du nombril d'un territoire immense, le Tahuantinsuyu, étendu depuis le nord de l'actuel Chili jusqu'au sud de l'actuelle Colombie, sillonné par vingt mille kilomètres de routes tracées par un peuple ignorant la roue. Des ponts franchissaient les précipices de la cordillère. Ces chefs-d'œuvre du génie civil favoriseraient l'avancée des Espagnols, entraîneraient la disparition de l'empire du Soleil.

Une tête retrouvée par hasard au fond d'une boîte, en 1980, dans la cathédrale de Lima, tête couverte d'une peau desséchée couleur de poulet rôti, s'est avérée être celle du forban Francisco Pizarro décapité ici en 1541, dix ans après sa capture de l'Inca.

Pas d'équivalent des codex aztèques, les Incas ignorent l'écriture. C'est dans la langue des vainqueurs que les premiers scribes, Garsilaso de la Vega, fils d'un conquistador et d'une princesse inca, et Titu Cusi Yupanqui, frère de Túpac Amaru, consigneront l'écroulement du monde. Par-delà les imprécisions, parfois les notations farfelues de leurs chroniques, on y lit l'incroyable rapidité avec laquelle s'éteignit une civilisation solaire qui se pensait éternelle.

Le 22 avril 1500 Pedro Cabral atteint la côte du Brésil, le 23 avril 1519 Hernán Cortés est à Veracruz au sud du Mexique. Dès 1532 son cousin Francisco Pizarro, le futur décapité, longe la côte du Pacifique depuis l'Amérique centrale, débarque au nord du Pérou avec moins de deux cents hommes et soixante-deux chevaux, quelques canons et arquebuses. Devant lui l'immense empire des Incas et ses centaines de milliers de soldats mais il l'ignore. Comme nombre des premiers conquérants, le reître, qui ne sait ni lire ni écrire, est un vétéran des guerres d'Italie. Il a accompagné l'expédition de Balboa vers l'actuel Panama. C'est une histoire de famille, ils sont cinq Pizarro dans la troupe, cinq frères ou demi-frères et un cousin.

À leur tête, Francisco appliquera les méthodes habituelles de la fourberie et de l'audace, de la corruption et de l'assassinat. Le pouvoir de l'empire est fragile, disputé par les deux fils de l'Inca défunt, Huascar au sud à Cuzco, Atahuallpa au nord à Quito. Ce dernier est alors en villégiature aux bains d'eau chaude de Cajamarca. Là survient le « guet-apens de Cajamarca », coup de main qui, en quelques heures, change à jamais la face du sous-continent.

Dans *Vie et mort de l'Inca Atahuallpa*, Gilbert Vaudey en reprend le déroulé après l'historien suisse Alfred Métraux. Depuis la côte, les cavaliers et fantassins ont gravi la montagne, découvert une campagne propre et prospère, une ville ordonnée à plus de deux mille mètres d'altitude, un ciel bleu pur, des maisons de terre et de pierre, des rues balayées, des caniveaux entretenus. Pizarro envoie une ambassade à l'Inca. C'est la première fois que celui-ci voit un cheval. Il autorise les Espagnols à prendre quartiers.

Le lendemain, samedi 16 novembre 1532, il se porte au-devant d'eux dans toute la splendeur de son règne, sur sa litière, entouré de milliers d'hommes. Les Espagnols sont si peu nombreux qu'il pense peut-être s'emparer des chevaux, créer une cavalerie qui lui donnerait un atout dans la lutte contre son frère Huascar. C'est un traquenard. Les étrangers barbus casqués de fer attaquent en hurlant, brandissent la bible et l'épée. Des grelots noués aux jambes des chevaux augmentent la stupeur causée par la déflagration des arque-buses. Des milliers de morts avant la fin du jour. Selon les conquistadors un blessé léger dans leurs rangs. En une journée l'empire est tombé, le Fils du Soleil fait prisonnier. Il promettra en rançon tout un bâtiment empli d'or. Pizarro attendra que celle-ci soit réunie pour le condamner à mort.

Montaigne écrira la félonie de Pizarro et peindra Atahuallpa en héros vaincu.

la grande descente

Souvent c'est par leur remontée que s'étaient effectuées la découverte et la cartographie des fleuves, ce fut le cas pour le Nil et le Mékong, parfois par leur descente : telles furent, à des siècles de distance, celles du Congo et de l'Amazone, dont l'embouchure est insoupçonnable.

Huit ans après le guet-apens de Cajamarca, sept ans après l'exécution de l'Inca, l'or du Pérou déjà ne suffit plus. En 1540, Francisco Pizarro envoie vers le nord et Quito son frère Gonzalo à la tête d'une escouade, avec mission d'aller chercher vers l'est le pays d'El Dorado. Informé de l'expédition, Francisco de Orellana, gouverneur du port de Guayaquil, plus au sud sur le Pacifique, qui peut-être déjà s'ennuie depuis la conquête, grimpe vers Quito proposer ses services, redescend armer sa troupe. Le 21 février 1541, Gonzalo Pizarro, qui n'entend partager ni la gloire ni la fortune, part sans l'attendre. Depuis les trois mille mètres d'altitude de Quito, il se lance à l'assaut de la cordillère avec deux cents hidalgos à cheval et des fantassins, des meutes de chiens féroces, plusieurs milliers d'Indiens réquisitionnés, des troupeaux de cochons en provision, un frère dominicain, Gaspar de Carvajal, sa croix et son ciboire.

De l'autre côté des nuages, de la neige et des volcans, c'est la chaleur et la forêt, les fauves et les moustiques, les fièvres de la dysenterie et de la malaria dont on ne sait pas les noms, les rivières qu'on nomme et bénit, les sauvages qu'on baptise quand on parvient à en attraper. Pas d'or encore mais cela ne saurait tarder. Ils sont tout juste en bas de la cordillère que déjà Orellana et sa troupe, lancés à leur poursuite, les ont rejoints.

Pizarro semble changer d'avis, considérer que ces renforts ne sont pas de trop, que l'El Dorado est peut-être plus loin que prévu. Ils entreprennent ensemble la construction du *San Pedro*, mi-brigantin mi-radeau, et mi-barque mâtée à fond plat. Voilà dix mois déjà qu'ils sont coupés du monde et affamés. On fête Noël puis, le 26 décembre, Orellana embarque avec quelques hommes pour chercher secours et nourriture. Le dominicain Carvajal est à bord, dans le but sans doute de payer le gibier et les fruits en belles prières et révélation de la vraie foi. Il est âgé de trente-neuf ans, c'est un homme robuste, on sait déjà qu'il va survivre, sinon nous ne saurions rien de la suite : « Et le capitaine Orellana prit donc avec lui cinquante-sept hommes avec lesquels il monta dans le bateau déjà mentionné, et dans quelques canoas qu'on avait pris aux Indiens, et il commença à descendre le fleuve avec l'idée de faire demi-tour s'il trouvait de la nourriture. »

L'embarcation est entraînée vers l'aval par le fort courant. Le voudraient-ils qu'ils ne pourraient revenir en arrière. Ils abandonnent Pizarro et ses hommes à leur destin funeste, ne sont guère mieux lotis, découvrent un large fleuve qu'ils baptisent Napo mais c'est encore une rivière, ne trouvent rien sur ses rives, souffrent de la faim. Carvajal, auquel nous devrons bientôt le nom de l'Amazonie, poursuit sa relation :

« Nous ne trouvâmes de nourriture ni trace d'habitation, avec l'accord du capitaine je célébrai une messe comme on le fait en mer, recommandant nos personnes et nos vies à Notre-Seigneur, et le suppliant, bien qu'indignes, de nous sortir d'une misère et d'une perdition si manifestes, car il nous devenait clair que même si nous avions voulu retourner en amont, le courant nous en aurait empêchés, et tenter de rejoindre la terre était impossible, de sorte que nous nous trouvions en fort danger de mort à cause de la grande faim dont nous souffrions. »

Le 11 février enfin c'est la mer, mais non, c'est encore de l'eau douce. On est en route depuis bientôt un an et c'est la confluence du Napo et du fleuve Amazone, à quelques dizaines de kilomètres de la ville actuelle d'Iquitos. « Nous parvînmes à un tel état de privation que nous ne mangions que le cuir, les rubans et les semelles de chaussures, cuites avec certaines herbes, de sorte que notre faiblesse était telle que nous pouvions à peine tenir debout. Les uns à quatre pattes et les autres avec des bâtons, nos gens s'engagèrent dans les montagnes pour chercher des racines comestibles. Et il y en eut certains qui mangèrent des herbes inconnues et se trouvèrent sur le point de mourir, car ils étaient comme fous et sans plus de raison. » Ceux-là peut-être viennent de découvrir l'ayahuasca. Et peut-être Orellana lui-même, qui en son délire de gloire se proclame devant ses hommes capitaine général, s'affranchit des Pizarro, entend ne plus se soumettre qu'au roi Charles Quint, auquel il offre ce nouveau territoire qu'il croit avoir conquis.

Il envoie des missions vers la forêt mais aucune ville, aucun palais orné d'or et de pierreries, juste des peuplades qu'ils razzient, des chasseurs-cueilleurs qui fuient dans la jungle à l'approche des barbichus casqués de fer rouillé.

Alors que plus à l'ouest et au nord avaient émergé peu à peu les trois prestigieux empires des Aztèques, des Mayas et des Incas, ces Indiens-là vivent à moitié nus, voient les Blancs au corps recouvert d'armures métalliques sur lesquelles rebondissent inutiles les flèches au curare, le tonnerre des coups de feu d'arquebuses, leur manie de dresser des croix après avoir enfoui leurs morts. Puis c'est la confluence du rio Negro où s'étend aujourd'hui Manaus. « Poursuivant notre voyage, nous vîmes à main gauche un autre grand fleuve qui débouchait dans celui où nous naviguions. Ses eaux étaient noires comme de l'encre, ce pourquoi nous lui donnâmes le nom de rio Negro. Il coulait rapidement et avec tant de fureur que, sur plus de vingt lieues, ses eaux demeuraient distinctes sans se mélanger avec les autres. »

Plus en aval, ils relâchent dans un village d'Indiens davantage paisibles et fumeurs de pétun. Ils abattent des arbres, se livrent à des travaux de menuiserie, forgent des clous, mettent à l'eau de nouvelles embarcations, reprennent leur navigation. Et peut-être que c'est au tour du frère Carvajal de goûter à l'ayahuasca. Parce qu'à ce moment du récit apparaissent enfin les Amazones. « Ces femmes sont très grandes et blanches, et elles ont une très longue chevelure, tressée et enroulée sur la tête. Elles sont très membrues et vont toutes nues, leurs seules parties honteuses voilées, leurs arcs et leurs flèches en main, chacune guerroyant comme dix Indiens. Et en vérité, une de ces femmes tira une volée de flèches sur l'un des brigantins, lesquels à la fin semblaient des porcs-épics. »

On doit décidément s'attendre à tout avec ces Indiens, qui parfois vous accueillent à bras ouverts, et contre lesquels il faut parfois livrer bataille. « De nous tous, dans ce village, ils ne blessèrent que moi, me tirant une flèche dans l'œil, laquelle me traversa la tête, blessure qui me fit perdre l'œil, ce dont je ne restai pas sans fatigue ni douleur, par où se voit que le Seigneur, sans que je le mérite, a voulu m'accorder la vie pour que je m'amende et le serve mieux que je ne l'avais fait jusqu'ici. » Enfin c'est la mer, la marée, on y goûte et cette fois l'eau est salée. Mais du fait de l'immense largeur de l'Amazone et de son peu de pente la marée haute pénètre loin en amont. Il faudra patienter des semaines encore. Les hommes scrutent l'horizon, aperçoivent dans les vagues un tapir mort. Ils le harponnent, et suivent le conseil gastronomique prodigué par Jules Verne trois siècles et demi plus tard : « Je te parie qu'ils le mangeront, et ils n'auront pas tort, car rien de bon comme un filet de tapir à la braise ! »

À l'abri d'une île, on radoube et calfate, bricole voiles et mâts. Ce sont encore, à bord des barcasses, seize jours sur l'Atlantique vers le nord pour rejoindre une colonie espagnole, un an et demi après le départ de Quito, huit mois après avoir abandonné Pizarro. Celui-là, Gonzalo Pizarro, est tout juste de retour au Pérou en juin 1542, à la tête d'une poignée de survivants qui ont à nouveau franchi la cordillère. Il entend bien faire condamner Orellena pour traîtrise. Il apprend que son frère Francisco a été décapité pendant son absence, à Lima, en juin 1541.

Tout cela peut paraître bien long, mais au dix-neuvième siècle, il faudra trois ans à Savorgnan de Brazza pour effectuer son aller-retour de la côte gabonaise aux rives de l'Alima.

Une partie de l'expédition de Francisco de Orellana regagnera le Pérou à son tour, dont le sympathique frère Gaspar de Carvajal qui s'en va peaufiner son récit fantasmagorique, et se révèle observateur davantage perspicace qu'on pourrait le redouter. C'est moins de dix ans avant la controverse de Valladolid, et son témoignage pèsera dans la décision d'octroyer aux Indiens la qualité de personnes humaines : « Tous les gens qu'il y a sur ce fleuve que nous avons parcouru, comme on l'a dit, sont gens de raison et hommes ingénieux, selon ce que nous vîmes et ce qui apparaissait dans tous leurs ouvrages, aussi bien les sculptures que les dessins et les peintures de toutes les couleurs, très vives, qui sont merveilles à voir. » Il vivra vieux, s'éteindra à quatre-vingt-deux ans, en 1584, archevêque borgne de Lima.

L'autre partie de la troupe suivra Orellana en Espagne. Lavé des accusations de trahison par la disgrâce des Pizarro, il montera une nouvelle expédition afin de prendre possession des terres qu'il a découvertes, quittera le port de Cadix à la tête de plusieurs centaines de colons et retraversera l'océan. Les bouches de l'Amazone s'étendent sur cent kilomètres de la façade atlantique. Le glorieux capitaine est perdu, il engage ses navires dans le labyrinthe des cours d'eau, des îles, des marais, des bras morts, jamais ne retrouve l'embouchure, meurt des fièvres à trente-cinq ans sur une berge sans nom.

On ne découvrira qu'en 2016 le grand récif corallien au large de l'Amazone, sur un territoire maritime déjà affermé par le Brésil au pétrolier Total qui peut-être le détruira.

l'eau qui coule depuis les ruines

Trois ans plus tôt, j'avais élaboré avec Alfredo Pita et Diego Trelles Paz le projet d'éditer une recension bilingue de la littérature péruvienne contemporaine, puis nous avions quitté Lima pour la cordillère, gagné Puno au prix de plusieurs heures d'autocar sur l'altiplano. Au centre d'une petite place devant l'hôtel Hacienda se tenait en l'honneur de la fête nationale une prise d'armes avec fanfare et salut au drapeau. Le soir dans la chambre, après que Véronique s'était endormie, j'avais réglé le volume du téléviseur au minimum pour écouter le discours annuel du président Ollanta Humala.

Suivait un journal d'information dans lequel apparaissaient des images d'Abimael Guzmán déjà octogénaire, enfermé depuis 1992, du temps de Fujimori, dans la forteresse militaire de la Marine à Callao dans le nord de Lima. L'armée péruvienne venait de libérer en cette fin de juillet 2015 des otages du Sentier lumineux, trente-quatre enfants et vingt adultes, jusqu'alors retenus dans l'un de ces camps de travail agricole qui évoquent ceux des Khmers rouges, isolés dans la jungle des Vraem – acronyme des Vallées des rivières Apurimac, Ene et Mantero. Ceux-là étaient prisonniers depuis plus de vingt ans pour les adultes, surtout des femmes. Quant aux enfants, surtout des garçons, nés du viol de ces prisonnières, et sans autre scolarité que les slogans maoïstes braillés à longueur de journée, enfants-soldats à partir de douze ans dans la guérilla, et eux-mêmes assez tôt violeurs de paysannes, leur insertion dans la vie civile semblait complexe.

Le lendemain, nous étions descendus au port et admirions à quai le *Yavari*, cargo mixte à unique cheminée centrale, coque noire à liséré vert jade, bâtiment dont le Pérou avait en 1860 passé commande aux fonderies de James Watt à Birmingham, acheminé depuis l'Angleterre par le cap Horn en milliers de pièces détachées, hissé depuis la côte du Pacifique à travers la montagne à dos de mulet, de cheval, d'homme, assemblé ici à Puno et lancé sur le lac, prouesse assez comparable à celle qui expédia en milliers de caisses depuis l'Allemagne jusqu'au port africain de Kigoma le *Graf Goetzen*.

Ce dernier est plus récent, mis à l'eau en 1915. Il flotte aussi moins haut, la surface du lac Tanganyika s'étalant huit cents mètres au-dessus du niveau de la mer, quand ici celle du Titicaca est à plus de trois mille huit cents mètres d'altitude. Si le navire allemand, devenu tanzanien et rebaptisé *Liemba*, naviguait encore, à ma connaissance, même si je n'étais pas monté à bord depuis 2006, ça n'était plus le cas du *Yavari*, et c'est une embarcation autrement moins prestigieuse, manière de vedette rapide à double pont, que nous avions empruntée pour gagner l'île d'Amantaní sur laquelle, en l'absence de tout parc hôtelier, des habitants ont coutume d'héberger les voyageurs.

La maison de notre hôtesse Amanda se tenait à mi-pente de la colline et Véronique l'avait gravie, cette colline, pour aller contempler depuis son sommet la fin du jour. J'étais demeuré dans la chambre, assis devant une petite fenêtre à trois vantaux de bois ouvragé, munie d'un rebord juste à la taille du carnet, face aux champs labourés, étagés en terrasses et bordés de murs de pierre ombragés de fuchsias en fleur, devant les eaux lisses du lac et à l'horizon la sierra bolivienne enneigée, tout cela baigné de soleil déclinant, en bas dans la cour des fèves mises à sécher, étalées sur le sol de terre.

Me parvenaient de calmes propos en quechua et le bêlement des moutons, et peu à peu j'avais senti monter depuis ma poitrine jusqu'au cerveau une grande bouffée de bonheur inattendue, continuant de consigner dans le carnet le paysage et les sons et les odeurs, conscient qu'en l'absence de chauffage et d'électricité je serais bientôt dans l'obscurité glaciale, immobile, sachant qu'elle allait arriver, que nous dormirions habillés, emmitouflés sous une grosse couverture parce que juillet est le mois le plus froid, que la température la nuit descendait loin sous zéro, que nous avions lu à Lima dans les journaux qu'en ce mois de juillet 2015 de nombreux lamas et alpacas étaient morts de froid dans cette région de Puno, avions acheté des vêtements d'hiver et un petit flacon de pisco, et d'un coup soulevé par ce vertige de la simple allégresse d'être vivant, comme cela peut arriver au mieux une fois l'an, et pas même une fois certaines années, je tentais d'écrire tout cela au fur et à mesure, de retenir le détail de cette ivresse devant la noyade du soleil qui n'en finissait pas, un long nuage orangé, pas un souffle, les deux premières étoiles, le froid qui tombait, les trois pulls que je portais, la fumée du bois d'eucalyptus que je respirais, déjà cherchant de quelle soirée j'allais me souvenir au tout dernier soir allongé seul dans le noir, et celle-ci je m'en souviendrais d'autant mieux de l'avoir écrite, reviviscence amplifiée encore par le passage des années, même si trois ans c'est si peu, mais lavée déjà de l'agacement des détails du présent, parce que les jours revécus dans la gloire du souvenir, non pas embellis mais apurés, la mémoire en exprime l'essence comme le jus d'un fruit, il n'y a aucun regret dans la nostalgie, elle est pure jouissance, calme, mélancolique. Ces jours, nous ne souhaitons pas les revivre, nous les avons vécus, nous en avons extrait avec le temps ce qu'il y avait en eux de magnifique, c'est-à-dire de mémorable.

Véronique était descendue de la colline emballée elle aussi. Les mains tremblantes, un peu confus de cette immense joie solitaire que j'éprouvais encore, j'étais entré dans la minuscule cuisine au rez-de-chaussée de la maison de poupée. Nous dînions tous les quatre à la lampe autour d'une toute petite table carrée, avec Amanda et son jeune frère de six ans, celui-là les pommettes très rouges des enfants nés en haute altitude, un beau visage qu'on dirait tibétain. Je me souviens de son âge parce qu'il nous avait fait répéter après lui, à tour de rôle, une jolie comptine :

Manzanita del Perú !
Dime cuantos años tienes tu !

Et que nous devions lui répondre après avoir chanté : j'avais cinquante-sept ans, l'âge bien tassé d'un vétéran au football, grand fumeur à quatre mille mètres : le lendemain l'enfant m'attendait avec son ballon sous le bras. Nous échangions des passes sur le faux plat devant la maison. Il n'ignorait pas que j'étais le compatriote de Zinedine Zidane et que mes conseils, même essoufflé, pouvaient l'aider à qualifier un jour le Pérou pour la Coupe du monde.

Allongé trois ans plus tard dans une chambre de l'hôtel Europa d'Iquitos, non loin de ces eaux qui pour partie descendent de la lointaine région de Cuzco bien plus au sud, je nous revoyais dans la vaste cathédrale dont l'édification avait commencé l'année même de la décollation de Pizarro, où nous allumions des cierges. Après en avoir allumé à Lima dans la petite église de Rímac, nous en poursuivions la coutume cuzquénienne devant les autels pleurant l'or et l'argent sur les restes de Garcilaso de la Vega.

Nous attendions de voir les ruines que le prospecteur des mines August Berns avait le premier visitées, en 1860, l'année où Henri Mouhot décrivait le premier les temples d'Angkor. Si cet Allemand s'était contenté de les mentionner, ces palais incas vertigineux à l'aplomb de la forêt vierge, n'avait touché à rien, avait repris ses études du tracé hypothétique des chemins de fer péruviens, il en irait autrement avec l'arrivée d'Hiram Bingham en 1911, lequel déboulerait avec tout un fourbi d'explorateur, prendrait des photographies, effectuerait des relevés, inonderait la presse, lancerait la mode de la cité perdue du Machu Picchu et enflammerait l'imagination de Percy Fawcett, surtout raflerait tout ce qui pouvait l'être et l'enverrait aux États-Unis. Le Pérou attendrait un siècle la restitution de ces objets par l'université de Yale, en 2012, et nous étions allés voir le trésor au musée Casa de la Concha avant de reprendre la route.

De ces quelques journées de voyage et autant d'étapes chaque soir dans un hôtel différent, je conservais un souvenir kaléidoscopique, mêlé au long plan d'ouverture du film *Aguirre, la colère de Dieu*, images que Werner Herzog avait tournées au début des années soixante-dix sur les pentes abruptes et détrempées du Machu Picchu en veillant à ce que jamais n'apparaissent dans le champ les ruines trop célèbres, puisque c'est la cordillère équatorienne très loin au nord qu'est supposée descendre dans les nuages et le brouillard la lente et interminable procession des conquistadores et des Indiens, des cochons et des chevaux et des chariots de canons, même si, dans son scénario, il mêle deux entreprises distantes entre elles de vingt ans, celle de Gonzalo Pizarro et Francisco de Orellana en 1540 et celle de Pedro de Ursúa en 1560, à laquelle participait Lope de Aguirre, expéditions dont les points de départ furent éloignés dans l'espace, avant de rejoindre toutes deux le cours de l'Amazone.

À mesure que nous longions la rivière Vilcanota, visitions d'autres vestiges, mon humeur s'assombrissait, la belle euphorie de l'île d'Amantaní se dissipait devant l'abondance de groupes de crétins bloquant les sentiers étroits pour se photographier, parlant fort, vêtus laidement de couleurs criardes, frères humains que j'aurais volontiers attrapés par les épaules et balancés dans la pente, au lieu de quoi, voulant les contourner, j'avais dérapé dans la rocaille, m'étais assez gravement blessé au bras gauche et à l'ego.

Dans le village de Písac, j'avais trouvé de quoi faire un bandage, désinfecter la plaie, et je m'étais un peu apaisé le lendemain dans l'hacienda de Yucay où nous reprenions paisibles nos lectures, aussi parce que je savais que Simón Bolívar, dont je cherchais partout la trace, y avait dormi, quelques années après sa rencontre à Guayaquil avec le général San Martín. À Ollantaytambo, alors que nous marchions vers la gare, avait surgi devant nous la vision lowryenne d'une procession mortuaire et très sonore, le long d'une rue étroite et pentue. Tous les hommes de la fanfare des cuivres portaient des chemises violettes, les amis du défunt ou de la défunte jetaient par poignées sur le cercueil des pétales de rose rouges et blancs, cérémonie péruvienne que je ne pouvais m'empêcher de penser mexicaine. Enfin nous avions pris le train pour Aguas Calientes.

Devant la fenêtre du compartiment coulait la rivière étroite et bouillonnante comme un gave à truites, pas si éloignée à vol de condor du Pacifique, mais l'orographie est onirique : elle invite à s'élever haut dans le ciel à la verticale de ces rails, à lire le futur de ces eaux, à imaginer la main d'un enfant confiant ici au courant un frêle esquif : cette rivière Vilcanota devenue Urubamba se joindrait à l'Apurimac devenu Tambo, lequel confluerait avec l'Ucayali, puis en amont d'Iquitos avec le Marañón, avant de se jeter dans l'Amazone et de pousser toutes leurs eaux mêlées jusqu'à l'Atlantique. Même si je nourrissais déjà, à bord du train, ce projet amazonien, je devais avant cela en finir avec le projet français en cours : nous partions pour le Tarn, et l'abbaye de Sorèze, sur les traces de Bolívar. Je n'imaginais pas alors ou n'osais pas espérer que, trois ans plus tard, je retrouverais en compagnie de Pierre ces eaux loin en aval.

à Iquitos

C'est au milieu de la nuit que nous avions allumé une première cigarette dans cette ville inconnue de nous, sur le trottoir devant le petit hôtel Europa au milieu des chiens errants, observant un énorme cafard, l'une de ces blattes du modèle *Periplaneta americana* dont l'espèce n'est pas menacée d'extinction, capable même, dit-on, de survivre à l'apocalypse nucléaire. Un vigile armé mais somnolent, assis sur un tabouret, veillait sur la caisse de l'hôtel et peut-être aussi sur nous, du coin de l'œil.

À l'aube, nous étions descendus voir le fleuve au bout de la rue, ou plutôt ce bras, qui est le río Itaya, avions suivi le malecón jusqu'à ce bistrot auquel un Belge a donné le nom de Bateau ivre, appellation qui nous confrontait encore une fois aux énigmes de l'histoire littéraire. S'il est avéré que Rimbaud a lu Verne, il est peu probable qu'il ait lu *La Jangada* parue en 1881, année de son premier séjour au Harar. Mais ce Belge érudit, compatriote de Michaux, savait sans doute que c'est à bord du paquebot *Amazone* des Messageries Maritimes que dix ans plus tard, en 1891, le poète, depuis des semaines bringuebalé dans la civière, avait effectué son dernier voyage d'Aden à Marseille avant l'amputation.

Devant la terrasse sur ce boulevard de fleuve comme il y a des boulevards de mer, par-delà une balustrade, s'étendait en contrebas, à cette période des basses eaux, une prairie d'herbe haute et très verte, où gisait la carcasse rouillée et démantibulée d'un long bateau qui pourrait être celui de Fitzcarraldo, peut-être victime d'une lointaine erreur de navigation de son capitaine pris de boisson, ce qui était une autre hypothèse, concevable, à ce qu'un Barco ebrio lui fît face.

Dans les jours qui avaient suivi, Pierre était allé par goût des marges parcourir l'épave dans laquelle dormait à même la tôle une population de zonards et de clochards ou de poètes maudits. Et avec tout cela nous étions au 15 août et c'était l'une des trois dates annuelles de mes méditations. Si celle du 21 février est seulement consacrée depuis vingt ans à l'état d'avancement du projet Abracadabra des romans alignés autour du monde, j'effectue à ces deux autres jours, les 31 décembre et 15 août, tout perclus comme je le suis d'éphémérides, quelque chose comme un grand remuement des événements survenus les mois précédents, de manière à n'oublier jamais aucun lieu, aucun détail, aucun visage, aucune lecture. L'exercice nécessite d'être seul, dans le silence, et allongé dans l'obscurité.

Avant même que je mentionne cet impératif, Pierre m'avait surpris en évoquant ce Jour du rituel, m'annonçant qu'il reviendrait le soir, alors que le dernier 15 août que nous avions passé ensemble était celui de 2005 à Stolac en Bosnie-Herzégovine. Dix ans plus tard j'étais donc à Sorèze dans le Tarn, et le 15 août 2008 c'était une chambre du Belas Artes à São Paulo, dix ans avant cette chambre à Iquitos. Un orage d'une particulière virulence frappait les vitres de l'Europa et les faisait trembler, le ciel tout couturé d'éclairs rugissait comme il est de coutume lors de ces cérémonies ésotériques. Pierre était pourtant revenu sec, qui s'était réfugié dans un bistrot, à l'abri des trombes d'une telle violence que le canard local du lendemain, *El Popular*, titrait en une : TERROR EN IQUITOS : Hubo heridos y temen que el fenomeno se repita.

Ce phénomène, lequel avait donc fait des blessés, et dont on craignait qu'il se reproduisît, était présenté comme une spécialité du mois d'août iquiténien, tempêtes appelées Vents de Santa Rosa de Lima. La nuit était tombée et nous marchions en ville dans les rues inondées. Des toits de tôle avaient été arrachés et des palmiers déracinés. Ainsi comme chaque année à nouveau ressuscité, et parce que Pierre était peu habitué du pisco sour, et que nous avions quitté la zone cachaça, je lui avais proposé d'aller en goûter au bar du Hilton, où l'on pouvait prévoir qu'il y serait correctement préparé. Il le fut. Nous en félicitions le barman. Et comme je disais à Pierre, sifflotant le deuxième ou le troisième, que ce barman bénéficiait d'une belle machine pour piler la glace et monter les blancs en neige, ce qui est un peu le secret de la réussite du pisco sour, ainsi que le judicieux dosage de l'angostura, il m'avait répondu qu'on pouvait aussi battre les blancs à la main.

C'est ce que faisait Cassius Clay, lui rappelai-je.

Nous étions un peu gris.

Nous attendions de prendre la route vers le sud, pour Nauta, village à la confluence du Marañón et de l'Ucayali, d'aller voir passer là-bas Aguirre, où n'est jamais passé Orellana.

père & fille

Vingt ans après la grande descente d'Orellana, cette deuxième expédition est mieux préparée. On a lu le récit de Gaspar de Carvajal, le borgne de Lima, on l'a interrogé. Si Herzog convoque à nouveau à bord le dominicain, dans la réalité il reste à l'évêché, il a déjà perdu un œil et ça suffit. On a interrogé aussi les survivants. On soupçonne que, terrorisés devant l'inconnu, ceux-là furent insuffisamment attentifs : dévorés par la faim, hallucinés par la peur et l'ayahuasca, ils furent bernés par les fourbes Indiens qui dissimulèrent leurs richesses.

L'organisation et le commandement de toute l'entreprise sont confiés à Pedro de Ursúa et ça n'est pas n'importe qui. De noble famille navarraise il est depuis quinze ans dans le Nouveau Monde, héros des guerres contre les Indiens dans l'actuelle Colombie, depuis plusieurs années passé au Pérou et proche du vice-roi. Il prend son temps, quitte une première fois Lima pour les rives du Huallaga avec des scieurs de long et des charpentiers de marine, des palefreniers et des contremaîtres. On choisit l'endroit du chantier naval et du port fluvial, installe des fermes pour les provisions et les écuries.

Au prétexte de trouver l'or et la cannelle, il s'agit peut-être aussi de prendre position sur le grand fleuve avant que ne raboulent les Portugais, qui viennent d'expulser les Hollandais de Recife et s'installent un peu partout, et encore d'éloigner les conquistadores désœuvrés depuis la fin de la conquête, prompts à la révolte et cherchant encore la fortune promise. Il est aussi possible qu'Ursúa, supposé représenter la Couronne, envisage lui-même de trahir, de se proclamer le premier roi d'Amazonie, de fonder une dynastie. Au bout d'un an et demi, c'est en compagnie de sa maîtresse Ines de Atienza qu'il revient de Lima en grand appareil inspecter les préparatifs, s'installe en prince dans le village de Moyobamba.

Le départ est fixé au 26 septembre 1560. Cette année-là, les Portugais chassent les derniers Français de Villegaignon de leur Fort Coligny dans la baie de Guanabara à Rio. Ursúa dispose de quelques cartes même si elles sont très imprécises, plutôt des tracés effectués de mémoire : l'expédition descendra le Huallaga jusqu'à sa confluence avec le Marañón, puis l'Ucayali pour atteindre l'Amazone. Plus de trois cents Espagnols sont à bord et parmi eux un seul vétéran de l'expédition du capitaine Orellana, autant de chevaux, des paniers de volailles et des porcs entravés, nombre d'Indiens et d'esclaves noirs.

La troupe compte encore dans ses rangs cet Aguirre natif d'Oñate au Pays basque, depuis vingt ans au Pérou. Dresseur de chevaux, puis soldat de fortune, il s'est enfui un temps au Nicaragua pour échapper à la vengeance ou à la prison. Une blessure reçue au combat l'a fait boiteux. Il est farouche guerrier habile à fendre en deux les Indiens à l'épée. Il n'est pas riche, possède tout de même quelques arpents de terre. Il n'est pas de ceux qui n'ont rien à perdre dans l'aventure.

Au cas où serait fondé le royaume d'Amazonie, les volailles et les cochons ne sont pas seulement destinés à la consommation mais aussi à l'élevage. Il en est de même des chevaux, dont on attend qu'ils se reproduisent. Lope de Aguirre serait alors un homme utile. C'est peut-être ce talent précieux de dresseur qui lui vaut le privilège de pouvoir emmener avec lui sa fille métisse de quinze ans, Elvira. Si jamais Ursúa nourrit des rêves de gloire et de sédition ils feront long feu. Après plus d'une année et demie de préparation, il ne lui reste que trois mois à vivre. Toute l'histoire de la conquête est celle de traîtres trahis par de plus traîtres qu'eux. Cet obscur Aguirre est le moins embarrassé de scrupules. Après avoir décimé la troupe, il trouvera le courage, une fois vaincu, de tuer sa fille.

rebelle

Ce fou magnifique abandonné par Herzog sur son radeau envahi par les singes, le regard halluciné sous le casque de fer, traînant la jambe, l'épée à la hanche, est un homme seul. Si les cheveux d'or et les yeux bleus de Kinski devant le mur vert de la jungle ont fixé la légende, on voit de cet homme des portraits gravés moins flatteurs, après sa mort, dans les chroniques contemporaines, celle de Francisco Vázquez, ou postérieures, chez Toribio de Ortiguera. L'homme fascinant, le destructeur de l'ordre inique, on le découvre aussi à la lecture des archives où sont consignés les aveux dictés par d'autres témoins de la catastrophe pour sauver leur peau, à leur retour, devant les tribunaux. Dans la nécessité de se disculper ou de mourir, ils noircissent encore le portrait du tyran qu'ils prétendent avoir haï, dont ils ne purent endiguer la folie, ni le goût du sang ni celui du blasphème.

Ce qu'ils nous disent aussi, ces manuscrits, c'est la puissance de feu dont était dotée l'expédition, ainsi chez Vásquez : « Le gouverneur Pedro de Ursúa avait en tout trois cents hommes bien équipés, avec un nombre égal de chevaux et quelques Nègres, sans compter une nombreuse suite de naturels, cent arquebusiers et quarante arbalétriers. » L'armement est sans commune mesure avec celui de leurs devanciers de l'expédition Orellana, il est considérable mais léger. On s'est privé de ces canons sur affûts à roues toujours embourbés, inutilisables dans la forêt. Ces hommes que commande Ursúa sont pour bon nombre des hors-la-loi, des aventuriers « qui s'étaient réunis à l'expédition pour échapper aux châtiments que méritaient leurs crimes et trouver dans ce voyage un moyen de se soustraire à la justice qui les poursuivait ». On les dira Marañónes, du nom de ces eaux sur lesquelles ils avaient entamé leur navigation.

À l'écart de la troupe, retiré dans sa suite flottante tendue de brocarts, le seul couple du bord suscite la jalousie, dont peut-être on entend à l'aube les fornications mieux que le chant du coq, couple dont on voit passer sur le pont les serviteurs chargés des mets les plus raffinés, quand Fernando de Guzmán, pourtant noble sévillan, et lui aussi de belle naissance, doit se satisfaire de l'ordinaire des officiers. Celui-ci n'est pas atteint de lubricité mais de gloutonnerie. On saura jouer de ce travers comme de la frustration des autres. « On disait que doña Inès avait mauvaise réputation par ses actes autant que par ses manières, ce dont il résulta qu'elle fut la principale cause de la mort du gouverneur et de notre complète destruction. »

On est parti fin septembre et trois mois plus tard ce sont de sanglantes étrennes. Les conspirateurs manipulent ce Guzmán que les chroniqueurs s'accordent à peindre en homme idiot et gourmand et justement c'est réveillon : « dans la nuit du Nouvel An, jour de la circoncision de Notre-Seigneur et 1er janvier 1561, à deux ou trois heures du matin, ils se réunirent auprès de don Fernando au nombre de douze ». Ces apôtres assassinent Pedro de Ursúa dans son sommeil. Fernando Guzmán est fait chef. « Cette nuit même, don Fernando fut proclamé général et Lope de Aguirre maître de camp, ils ordonnèrent à tous les soldats, qu'on avait forcés de se ranger en bataille, de ne parler qu'à haute voix, et voulurent même en tuer quelques-uns parce qu'ils s'étaient parlé à l'oreille. » Cette interdiction de marmonner dans sa barbe est chaque fois décrite avec une stupeur qui rappelle celle des Grecs devant Alexandre qui, selon ses biographes, fut le premier à lire les messages en silence et sans les prononcer.

Ce qui demeure de commun entre Guzmán et feu Ursúa, c'est qu'ils sont gens de plume et de noblesse espagnole, atteints de grande manie procédurière et administrative. Tout comme Pizarro avait voulu donner forme légale à l'exécution d'Atahuallpa, dissimuler sa cruauté sous un procès-verbal, on convoque les scribes, dicte l'acte, le sacre peut-être de quelques gouttes de l'eau bénite de la réserve : « Don Fernando de Guzmán, général, signa le premier, Lope de Aguirre le second, et ajouta à sa signature : Lope de Aguirre, traître. » Pour la première fois le boiteux apparaît dans le récit déjà ébauché de Vásquez, et finalement il lui donnera le titre sous lequel nous le connaissons, *Relation du voyage et de la rébellion d'Aguirre* : « Le tyran Lope de Aguirre était un homme âgé de quelque cinquante ans, petit de taille et de corps, mal conformé et maigre de visage. Ses yeux pétillaient quand il regardait fixement, surtout dans sa colère ; il avait l'esprit vif et pénétrant, bien qu'il fût illettré. »

S'il fait consigner par le scribe sa qualité de traître, c'est pour entraîner Guzmán et toute la troupe dans leur responsabilité irréversible. Lui ne veut pas s'encombrer de

la paperasse et des sceaux. On l'entend parler, haranguer :
« Quelle est donc votre sottise et votre imprudence à tous ?
Vous avez tué un gouverneur du roi, qui avait ses pouvoirs
et représentait sa personne, et vous pensez, par ce procès-
verbal, vous laver de ce crime ? » C'est la fuite en avant
sans espoir de retour à la légalité. Au bout de trois mois,
Guzmán accepte de trahir la Couronne. On fait un roi
de ce don Fernando Glouton. « Il parut content et fort
satisfait de son nouveau titre et de sa nouvelle dignité.
Il organisa ensuite une maison royale avec de nombreux
officiers et gentilshommes pour le servir et l'accompagner.
Dès lors il mangea seul et fut servi avec cérémonial. » Les
agapes ne seront pas longues. L'altesse n'est pas à la hauteur
de sa fonction de roi de paille, surtout il craint Aguirre,
contre lequel on l'entraîne à conspirer. Après cinq mois de
bons gueuletons, Aguirre le fait assassiner le 22 mai 1561,
se proclame lui-même non pas roi, mais chef suprême de
la Terre ferme, du Pérou et du Chili.

Peu lui importe en effet la forêt et l'Amazonie tout
entière, c'est sur les villes et le monde connu qu'il veut
exercer son magistère. Il n'est presque pas question dans
ces chroniques des Indiens du fleuve, dont on se contente
de piller les villages le long des rives. Elles sont toutes
concentrées sur la tragédie antique ou élisabéthaine qui se
joue à bord de la flottille comme un théâtre. Le chef craint
les factieux, la trahison, promet aux Marañónes un avenir
radieux qu'il leur dépeint. Il a voyagé au Nicaragua et sait
la géographie. Après avoir gagné la mer des Caraïbes, puis
traversé l'isthme, ils descendront la côte et prendront Lima.
Dans ce délire de conquête et de victoires on l'acclame, et
tous « se flattaient qu'en peu de jours tout le Pérou serait
en leur pouvoir, aussi avaient-ils déjà commencé à se le

répartir entre eux. Ils se partageaient non seulement les richesses, mais encore les femmes des habitants, et principalement les plus belles, chacun se choisissait d'avance celle qui lui plaisait le plus ».

Sans doute on a volé quelques Indiennes dans les villages mais à bord seules font tourner les têtes la fille d'Aguirre et la jolie veuve d'Ursúa, que s'était appropriée Lorenzo de Zalduendo en sa qualité de capitaine des gardes du roi Fernando. On l'assassine, elle aussi. Ils « la tuèrent à coups d'épée et de poignard et lui volèrent tout ce qu'elle possédait, ce qui fut une grande pitié ». Quant à la belle Elvira, la vierge de quinze ans, elle ne quitte pas son père qui ne dort plus, la main sur le poignard. La peur et l'horreur grandissent. À chaque escale il fait mettre à mort quelques hommes, mêle aux suspects des innocents notoires, et ça fait réfléchir tout le monde.

Le 20 juillet, la troupe débarque sur l'île Margarita au nord-est de Caracas. Peut-être ont-ils comme Orellana descendu l'Amazone jusqu'à son embouchure, remonté l'Atlantique vers le nord et longé les Guyanes, ou bien, selon l'hypothèse de Ricardo Uztarroz dans *Amazonie mangeuse d'hommes*, emprunté sans le savoir le canal de Casiquiare. Ils auraient alors, à hauteur de l'actuelle Manaus, remonté le rio Negro jusqu'à l'Orénoque. On ne décrira que deux siècles plus tard cette énigme orographique, comme si la Loire devant Orléans, confrontée à un obstacle, au lieu que les deux bras le contournent, cet obstacle, et se rejoignent, l'un filait rejoindre la Seine et y versait son eau. Vásquez n'éclaircit pas la question, puisque dans les deux cas il fallut bien atteindre les Caraïbes. Il note qu'après un périple de « dix mois moins cinq ou six jours : sur ce temps-là, nous naviguâmes trois mois et vingt jours, ou cent dix jours, tant sur le fleuve que sur la mer », et que « le tyran Lope de Aguirre arriva à l'île Margarita ainsi que ses maudits complices », au nombre desquels il prétend ne pas compter.

Aguirre dispose encore d'environ deux cents hommes, de « quatre-vingt-dix arquebuses et vingt armures », matériel suffisant pour soumettre la population espagnole et créole. Il fait défoncer toutes les embarcations afin que personne ne donne l'alerte, se retranche dans le fortin, prépare la prise du grand continent depuis la petite île, et c'est alors seulement qu'Aguirre devient Aguirre, atteint sa démesure, déclare vouloir à l'avenir « tuer tous les présidents, auditeurs, évêques, gouverneurs, archevêques, avocats et procureurs qui lui tomberaient sous la main, parce que ces gens-là, comme les moines, avaient causé la perte des Indes, qu'il mettrait à mort encore les femmes de mauvaise vie, parce qu'elles étaient la source de grands maux et de grands scandales dans le monde ». Pour l'heure, il se contente de ce qu'il trouve à sa disposition : « Il mit à mort quatorze de ses Marañónes et onze habitants du pays, ainsi que deux moines et deux femmes, ce qui fait, sans compter deux Indiens convertis qu'il occit aussi, un total de cinquante personnes qu'il fit périr jusqu'au moment de quitter l'île, et presque toutes sans confession. »

Des traîtres il y en eut tant, des fous aussi, mais il est le traître des traîtres, le parjure, le blasphémateur qui foule les sacrements, le tueur de prêtres qui inspire une sainte horreur à ses hommes qui craignent Dieu. Il se sait perdu, arpente à grands pas la forteresse de Margarita comme William Walker deux siècles plus tard celle de Trujillo. L'analphabète dicte des lettres pour le roi d'Espagne, dans lesquelles il confond l'anodin et le politique, tant est grand son courroux. Le scribe terrorisé consigne tout, affolé, trempe la plume, rédige à grande vitesse les propos parfois incohérents. On le voit assis dans une pièce sombre du fortin à la lueur des torches dont les reflets jouent sur l'armure d'Aguirre qui marche devant lui, lève les bras, invective, manière d'halluciné médiéval et de libérateur moderne, qu'une lecture anachronique ferait pré-bolivarien, pré-guévariste, il s'adresse au roi d'Espagne en personne et s'emporte, comme s'il était là devant lui, et le scribe tremblant fait courir la plume, un mot de travers et c'est la mort : « La seule cause de notre conduite, sache-le, Roi et Seigneur, est que nous ne pouvons endurer les impôts écrasants, les ordonnances et les mauvais traitements dont nous accablent tes ministres, qui, pour favoriser leurs parents et leurs créatures, nous ont arraché notre gloire, notre vie et notre honneur : c'est pitié, ô Roi !, que de voir les mauvais traitements qu'ils nous ont fait subir. Je suis privé de ma jambe droite par suite des coups d'arquebuse que j'ai reçus dans la bataille de Chucuniga, auprès du maréchal Afonso de Alvarado, en accourant à ton appel et en combattant Francisco Hernández Girón, révolté contre toi, comme nous le sommes aujourd'hui, moi et mes compagnons, et comme nous le serons jusqu'à la mort. »

Victoria o muerte. À la fois cahier de doléances et imprécations délirantes du héraut dressé contre les injustices, les grandes et les minuscules que depuis des années il rumine : « Je dis cela, puissant Roi et Seigneur, parce qu'à deux lieues de Lima on découvrit auprès de la mer une lagune, où par la volonté de la Providence quelques poissons s'étaient multipliés. Les pervers auditeurs et les officiers de ta royale personne, afin de s'approprier le poisson pour leurs festins et orgies, affermèrent la lagune en ton nom, voulant nous faire croire que telle était ta volonté, comme si nous étions des insensés. » Il déchaîne sa colère anticléricale : « Songe, ô Roi !, à ne pas ajouter foi à leurs paroles : s'ils versent des larmes là-bas, aux pieds de ta royale personne, c'est afin de venir ici donner des ordres. Veux-tu savoir quelle est leur conduite aux Indes : dans le but de se procurer des marchandises et d'acquérir des biens temporels, ils font le trafic des sacrements de l'Église, ils sont les ennemis des pauvres, avares, ambitieux, gloutons et orgueilleux, de sorte que quelque inférieur que soit un moine il a la prétention de régir et gouverner. »

Il est capable d'ironie grinçante et peut-être même d'antiracisme : « En outre, les moines ne veulent instruire aucun Indien pauvre et se sont installés dans les meilleures commanderies du Pérou. Leur vie est vraiment rigoureuse et pénible, car chacun d'eux, dans le but de faire pénitence, a, dans ses cuisines, une douzaine de jeunes garçons, qui sont chargés de pêcher du poisson et de tuer des perdrix ou d'apporter des fruits, enfin toute la commanderie n'a d'autre chose à faire que s'occuper d'eux. » Le Kurtz pré-conradien se vante de sa cruauté, revendique ses crimes sans implorer grâce, ni royale ni divine, car « je tuai le nouveau roi, le capitaine de sa garde, le lieutenant-général, quatre capitaines, son majordome, l'ecclésiastique qui était son aumônier, une femme qui faisait partie de leur ligue, un commandeur de Rhodes, l'amiral, deux porte-étendards et cinq autres de leurs amis ». Il sait que tout cela un jour sera lu à Lima chez les proches du vice-roi, à Madrid à la cour du roi, à Salamanque par l'autorité catholique, qu'on frémira, se signera d'effroi. Sa victoire sera devant l'Histoire. Il sait bien que, depuis maintenant trois mois qu'il est retranché sur l'île, les troupes royales ont eu le temps de se déployer sur la côte et qu'elles l'attendent.

Aguirre débarque en terre ferme, prend quelques villages, libère et enrôle des esclaves : « Il arriva au milieu de quelques cabanes que les habitants de la province destinaient à leurs Nègres. Il s'y arrêta une journée pour renouveler ses vivres, et surtout pour y réunir les Nègres s'il le pouvait, car il comptait en faire des alliés. Il en avait avec lui quinze ou vingt ayant à leur tête un capitaine. Il leur disait qu'ils étaient libres, et qu'il donnait la liberté à tous ceux qui se joignaient à lui. Il les traitait aussi bien et peut-être mieux que les Espagnols. » Devant la puissance des troupes loyalistes les désertions se multiplient, les Marañónes jettent l'épée, se prosternent, implorent le pardon du roi et du pape. Encerclé dans son village de Nègres, Aguirre veille sur la belle Elvire de maintenant seize ans. À chaque escarmouche des hommes font défection. Plusieurs de ces repentis donneront leur version, plaidoyers pour échapper aux poursuites, et remercieront Dieu de les avoir délivrés de ce fou sanguinaire.

Il tue sa fille avant qu'elle ne serve de paillasse à la soldatesque. « Se voyant donc seul, abandonné de tous ses soldats, désespéré et inspiré par le démon, il commit la plus grande cruauté qu'il eût faite jusque-là, ce fut de tuer à coups de poignard sa fille, la seule femme qui restât dans le camp, elle était métisse, extrêmement belle et lui ressemblait beaucoup. » Après avoir détruit davantage que sa vie, dans une dernière fureur il se rue à l'assaut les armes en mains, abat quelques ennemis, se prend deux balles d'arquebuse. Son cadavre est décapité, sa tête exposée comme le sera quatre siècles plus tard celle de Lampion : « La tête fut emportée dans la ville de Tocuyo et placée sur

155

le pilori, dans une cage de fer, au milieu de la place », tel est le sort des rebelles et des insoumis. Aussitôt naît la légende noire et la vénération : « Le capitaine Pedro Bravo emporta la main droite à Merida et la gauche à Valencia, comme si c'eût été les reliques de quelque saint », tel est aussi le sort des révolutionnaires. On peut à cette amputation se souvenir qu'en 1967 les deux mains du Che Guevara furent coupées au sortir de la forêt bolivienne, envoyées à La Paz, restituées longtemps après à Cuba.

C'est vingt ans après la mort d'Aguirre qu'apparaît, dans la chronique de Toribio de Ortiguera, chronique au titre un peu long, comme on les aimait à l'époque, *Jornada del Río Marañón, con todo lo acaecido en ella y otras cosas notables dignas de ser sabidas, acaesidas en las indias occidentales*, qu'apparaît donc le grand nom d'infamie qui fit entrer le héros dans l'Histoire : « Il osa même se nommer prince, et son titre était le plus grandiose et orgueilleux qu'un tyran ait pris jusqu'à ce jour en aucune nation : Lope de Aguirre se fit appeler la Colère de Dieu, prince de la Liberté et du royaume de Terre ferme et provinces du Chili. »

Dès la nouvelle de la mort du messie hérétique, par magie noire et superstition, les quelques arpents de terre péruvienne qu'il possédait sont recouverts de sel. C'est octobre 1561, quelques mois avant la rencontre, à Rouen, de Montaigne et des trois Indiens.

à bord

À vingt ans d'intervalle, le trajet des deux expéditions, celle d'Orellana et celle d'Aguirre, était devenu le même en ces parages, vers ces pointes de forêts avancées au milieu des eaux, dans le lacis des ríos Itaya et Nanay encore innommés, ou peut-être déjà connus ainsi des Indiens, où l'on bâtirait trois siècles plus tard une église en bois, en 1860, fonderait la paroisse d'Iquitos sur l'Amazone, une centaine de kilomètres en aval de la confluence du Marañón et de l'Ucayali.

Cette ville d'Iquitos était peut-être en cette année 2018 la dernière de cette ampleur à n'être pas reliée au reste de la planète par le réseau routier, privilège qu'elle partageait avec les villes insulaires. Tout ce qui était léger et périssable y venait en avion. Le reste était transporté par des camions depuis Lima jusqu'à Pucallpa. Ces véhicules mettaient une trentaine d'heures à atteindre ce port après avoir franchi un col dans les Andes. De là, c'était cinq jours de descente de l'Ucayali pour les navires marchands.

La seule route asphaltée permettait d'atteindre Nauta à deux heures vers le sud. Nous avions quitté de nuit les eaux du Marañón et remontions l'Ucayali. Le lendemain le paysage était plus ouvert, la forêt plus lointaine. Des strates sur les falaises de terre grise montraient la remontée progressive du niveau de la rivière, falaises que ces eaux dissimuleraient à nouveau après la fonte des neiges de la cordillère. Nous longions la réserve de Pacaya, passions l'embouchure du río Tapiche et la baie Fawcett. Le navire à coque métallique remontait le courant à la faible allure de cinq nœuds, bâtiment de conception plus moderne, et moins beau, que la *Jangada* sur laquelle nous naviguions au Brésil, navire péruvien qui ne respectait pas cette forme à proue levée des classiques paquebots amazoniens, qui offrait cependant l'avantage de cabines au ras de l'eau.

Du temps que les écrivains étaient plus riches, certains parmi lesquels Verne et Stevenson, London et Simenon, achetèrent navires, recrutèrent équipages, installèrent à bord leur bibliothèque et leur table de travail, ordonnèrent qu'on levât l'ancre, regardèrent par les hublots défiler devant eux la gloire du monde. La cabine de navire permet de concilier la chambre pascalienne et le spectacle du paysage : allongé, je passais le plus clair de mon temps à lire puis, levant les yeux de la page, voyais glisser des arbres, des clairières, des oiseaux, parfois une pirogue de pêcheurs à la senne ou un cargo.

un heurt

Alors qu'une fin d'après-midi je quittais la cabine après avoir bricolé mes petites histoires, montais sur le pont et retrouvais Pierre, il était attablé et alignait des notes dans son carnet. À nouveau je m'étais étonné de le voir écrire autant, lui en avais fait la remarque en plaisantant, croyais-je. Il avait fermé le carnet et s'était levé, était parti. Lorsque plus tard il était revenu, c'était pour me dire froidement qu'il était fatigué de cette remarque continuelle, surtout quand il était, comme cette fois-ci, en train de traquer une idée qui s'enfuyait. Puis il était reparti.

Seul, accoudé au bastingage, dans cette posture faussement désinvolte qu'on voyait souvent prendre aux passagers des paquebots du temps des jet-liners, lorsqu'ils se savaient photographiés, allumant une cigarette, je découvrais que cette blague à la noix, qu'il avait déjà supportée plusieurs fois avec calme, dissimulait moins ma bêtise que ma crainte.

Pour la première fois, je saisissais le déséquilibre dans le temps de nos deux activités. Alors qu'il lirait les pages que j'espérais tirer de mes carnets, ce à quoi d'ailleurs je m'étais engagé auprès de lui, avant parution, et peut-être même plus tard, après ma mort, découvrirait ces carnets eux-mêmes, et peut-être entreprendrait d'en déchiffrer l'écriture comme j'avais déchiffré après sa mort le carnet d'exode de mon père adolescent, je ne saurais jamais ce que ses pages à lui contenaient. Je concevais que ce projet dont je portais la responsabilité me dépassait, que la vérité nous concernant était peut-être dans cette contre-enquête qu'il menait et que je ne lirais jamais, que j'étais plus idiot que Fawcett et Roosevelt réunis.

De retour sur le pont, alors que j'écrivais dans mon carnet, Pierre était venu s'asseoir devant moi, avait ouvert son carnet, sorti son stylo, m'avait demandé en souriant pourquoi je ne disais rien. En signe de réconciliation. Je ne répondais pas, jouais un tremblement des mains et mimais la trouille. Que peut-on demander de plus à un fils que d'être un jour pardonné, ne serait-ce que de lui avoir infligé l'existence sans le consulter.

Dans les jours qui avaient suivi, m'était revenu le souvenir d'une remarque qu'on m'avait faite quelques mois plus tôt, en février, après que, quittant Marrakech et la maison dite du général Mangin, où Pierre avait été un très jeune enfant, j'avais remonté le Maroc par la route et dîné par hasard, à Tanger, en compagnie d'un psychothérapeute, lequel, parce que ce projet filial et amazonien était arrivé dans la conversation, m'avait confié que sa longue expérience professionnelle l'avait amené à considérer qu'un bon père, c'était un père auquel on mettrait 12/20 sur une copie. En deçà, disait-il, c'est un père absent ou négligent, au-delà un père emmerdant.

C'est à Paul d'abord que j'avais pensé, puis à Pierre. Les chats ne font pas des chiens. Je retrouvais notre commune incapacité, tous les trois, à trouver des mots simples, cette armure verrouillée, nos maladresses malgré nos efforts.

Que savais-je finalement de ce père mort, de ce fils vivant ? Nous n'étions pas encore aux rives du Pacifique et j'espérais que, de part et d'autre, le temps, la fatigue, l'ennui nous amèneraient à dépasser notre pudeur et notre timidité. C'est une grande qualité que la timidité et les hâbleurs sont méprisables. C'est un handicap aussi. Il me semblait que Pierre était la personne au monde qui me connaissait le mieux. Je n'étais pas sûr de la réciproque. Pierre est un homme énigmatique et secret, son humour est anglais, vif et tranchant. Je me demandais si pour un fils aussi c'était 12, la bonne note.

avec Alberto

Sur cet Ucayali comme sur ses affluents, si nous étions arrivés jusqu'ici un bandeau sur les yeux, et que nous l'enlevions à bord de ce canot qui remontait l'étroit río El Dorado dans la réserve naturelle de Pacaya, sous la voûte des frondaisons où clignotait le soleil, sur les eaux vert émeraude ponctuées des bulles montées à la surface où elles formaient de petites cloches dorées avant d'éclater, alors que nous nous enfoncions dans la réserve jusqu'au lac El Dorado, nous aurions pu croire le monde préservé, tout empli d'oiseaux et de poissons, de dauphins et de caïmans, d'aigles-pêcheurs qui fondaient sur les piranhas et les emportaient entre leurs serres, et que cette planète était le paradis qu'elle fut.

Mais alors il faudrait le nouer à nouveau, ce bandeau, pour traverser les villes amazoniennes, agglomérations incontrôlées que ne limite aucun obstacle naturel, chancres au milieu de la forêt qu'elles salissent, métastases des détritus entassés dans les quartiers périphériques et sur les berges du fleuve. Même si, vue du ciel, celle d'Iquitos était encore en cette année 2018 un minuscule bubon sur l'immense Loreto dont elle est la capitale, État d'un million et demi d'habitants, dont un sur deux vivait en ville, soit l'une des zones les plus faibles en densité humaine de la planète, une tumeur bénigne encore sur le poumon du monde mais la forêt était en voie de destruction. Sept cent mille personnes à Iquitos, c'était la population d'un petit quartier d'un petit village en Chine, mais le taux de natalité au Pérou était supérieur à quatre et dans cet État du Loreto plutôt de six. Cette phrase de Lévi-Strauss, écrite au milieu du siècle dernier, était revenue un soir dans nos propos : « Ce que d'abord vous nous montrez, voyages, c'est notre ordure lancée au visage de l'humanité. »

Ces mots avaient plus de cinquante ans. Ils disaient la deuxième révolution industrielle vieille alors d'un siècle déjà, l'avènement du plus grand bouleversement de l'écosystème depuis la collision, soixante-cinq millions d'années plus tôt, avec l'astéroïde. Ces contrées amazoniennes, depuis l'époque du caoutchouc, avaient reçu le pire de l'Europe, et sans son humanisme en contrepartie. La disparition des peuples, du paysage et des animaux, l'enlaidissement, avilissent. La laideur induit la soumission et la veulerie, facilite une parodie de démocratie : partout sur les murs d'Iquitos, se voyaient les pictogrammes peints appelant les analphabètes à voter en cochant sur le bulletin un cheval ou un coq. De tout cela, nous avions aussi parlé quelques jours plus tôt, avant d'embarquer, avec Alberto Chirif.

Depuis longtemps iquiténien, né à Lima, anthropologue, il est l'auteur d'un ouvrage sur les conséquences qu'avait entraînées, pour les Indiens, la faillite du caoutchouc en 1914, et leur vie jusqu'à la fin du vingtième siècle, ouvrage qui constituait en quelque sorte la suite de la mission de Roger Casement et de son rapport sur les exactions, le *Blue Book*, lequel avait provoqué le procès à Londres, et entraîné la banqueroute des barons du caoutchouc, davantage encore que le vol du siècle commis par Henry Wickham. Alberto avait aussi mené des recherches linguistiques, publié un *Diccionario amazónico – Voces del castellano en la selva peruana.* À présent consultant pour des projets menés dans les communautés indigènes, il étudiait la surpêche qui entraînait la disparition des poissons dans les rivières, et l'exploitation minière qui les empoisonnait avant qu'on ne les surpêche. Nous sifflotions tous les trois des verres de chilcano au bar du Hilton comme à bord du *Titanic.* Pourtant j'avais été sur le point de l'annuler, ce rendez-vous, pour une histoire de coffre-fort bloqué, susceptible de donner de moi l'image habituelle de l'escroc se faisant payer des verres au bar du plus grand hôtel au prétexte que ses cartes bancaires et son argent, en quantité phénoménale, une véritable fortune, lui étaient momentanément inaccessibles, tout cela enfermé dans le coffre d'un petit hôtel pas cher qui ne voulait plus s'ouvrir.

Même si, dans le courrier que je lui avais envoyé quelques jours plus tôt, je m'étais recommandé du peintre Gino Ceccarelli, qui est son ami, je ne le connaissais pas, Cecca-relli. Il était à Zurich. C'est mon camarade Alfredo Pita qui l'avait informé de notre séjour péruvien. Mais Chirif ne connaissait pas Pita. Il me semblait que tout cela, dont je ne pouvais d'ailleurs apporter l'ombre d'une preuve, était suffisamment complexe pour que je ne puisse débouler en lui annonçant qu'il allait devoir nous rincer.

Néanmoins, je l'avais informé qu'on attendait toujours à l'hôtel Europa l'arrivée d'El Chino, peut-être un perceur professionnel. Si on trouvait à Iquitos des coffres-forts, m'avait-on appris à la réception, on n'y connaissait aucune entreprise de maintenance des coffres-forts. Nous avions lu tous les trois dans les journaux, les jours précédents, les prouesses de la bande de cambrioleurs locaux connus comme Los Topos, qui venaient encore de dévaliser une bijouterie depuis un tunnel creusé à partir de la maison voisine, qu'ils avaient louée sous un nom d'emprunt. Et le mystérieux Chinois, qu'on nous promettait depuis des jours, était peut-être l'une de ces Taupes en cavale. Après qu'on nous avait demandé encore un peu de patience – demain El Chino allait arriver –, j'avais exigé du réceptionniste de pouvoir parler avec le directeur, lui aussi invisible. Celui-ci avait accepté de nous dépanner d'un nombre conséquent de billets de deux cents soles.

Si j'avais été Alberto, à ce point du récit confus, flairant une embrouille, j'aurais peut-être demandé à les voir, ces billets de deux cents soles. Au lieu de quoi nous avions commandé des piscos sour, poursuivi notre chaleureuse discussion sur le développement chaotique et sans plan d'urbanisme d'Iquitos. La maison qu'il habitait, et qu'il avait en partie construite de ses mains, disait-il, à quelques cuadras de cette place d'Armes, dans les années soixante-dix, était alors en limite de la zone urbaine et, depuis longtemps, entourée de nouveaux bâtiments. Il veillait jalousement sur son verger de fruitiers.

Si je souhaitais m'entretenir avec Alberto, c'était dans le but de compiler bientôt une histoire de cette ville d'Iquitos depuis sa fondation en 1860. Vingt ans plus tôt, j'avais rassemblé l'histoire du Nicaragua depuis l'exécution de William Walker en 1860 jusqu'à la chute des sandinistes, livre dans lequel je mentionnais le commando Túpac Amaru retranché dans l'ambassade du Japon à Lima, du temps de Fujimori. Je continuais depuis à lire la presse péruvienne, avais appris ces jours-ci l'arrestation pour corruption du juge anticorruption Juan Gonzales Chávez, lequel avait enterré l'enquête sur Nadine Heredia, l'épouse d'Ollanta

Humala alors président, dont j'avais écouté à Puno, en 2015, le discours pour la fête nationale.

Nous commentions l'actualité et les sandinistes revenaient dans la conversation. Des mouvements populaires venaient d'être durement réprimés à Managua par ce cinglé de Daniel Ortega. Nous semblions partager la même tristesse devant cette image altérée du sandinisme. Quiconque n'était pas familier de l'histoire du Nicaragua commettrait dans le futur l'amalgame, associerait à ce nom de sandiniste, déshonoré par Ortega, les meilleurs d'entre eux, Ernesto Cardenal ou Sergio Ramírez, les mettrait dans le même panier, ces hommes qui avaient combattu au risque de leur vie la dictature des Somoza, avaient pris le pouvoir par les armes, organisé des élections libres, qu'ils avaient perdues, avaient accepté leur défaite.

Je lui avais offert ce livre sur les sandinistes dans la traduction de José Manuel Fajardo. Quelques mois plus tard, Alberto m'avait écrit. C'était encore l'une de ces interrogations sur l'absence de fiction. Il voulait savoir si ces dépêches de presse que je citais à l'occasion de la Guerre du football, qui avait opposé en 1969 les armées du Honduras et d'El Salvador, je ne les aurais pas, tout de même, inventées ou bricolées, à tel point elles étaient incroyables. Je lui avais répondu que je m'étais contenté de les recopier mot à mot dans l'œuvre de Roque Dalton, qu'on pouvait les retrouver dans *Guerra a la Guerra*, un ouvrage qui mettait en parallèle la vie de ce poète salvadorien et celle du poète hondurien Eduardo Bähr, que j'étais allé rencontrer à Tegucigalpa.

Alberto avait interrogé Pierre et nous avions évoqué ce projet père-fils, le parcours de notre expédition d'un océan à l'autre. Alberto n'avait jamais eu de fils, mais des filles. Il avait commencé à parler de son père. Comme l'indique son patronyme Chirif, c'étaient des immigrés arabes du Moyen-Orient, débarqués en Uruguay. Son père était né à Buenos Aires de l'autre côté du Río de la Plata. Il était ainsi ce qu'on appelle dans le Cône sud un Turco, comme Juan José Saer, de lointaine ascendance syrienne, dans le nord de l'Argentine, ou Milton Hatoum, d'origine libanaise dans le nord du Brésil. Mais Chirif ne savait rien de leurs origines géographiques. Lui qui était un homme d'archives, il ne possédait aucun document familial et le déplorait.

Il savait que son père depuis l'Argentine était arrivé enfant au Pérou, avec sa mère, pour retrouver une tante, avait pris racine, s'était marié. Nous nous connaissions depuis deux heures. C'est toujours étrange, ce qui fait ainsi parler les hommes, lorsqu'ils s'approchent du plus profond devant des inconnus, dans une confiance que prodigue la fin du jour, la nuit depuis longtemps tombée sur la place d'Armes. Il se souvenait de la mort de son père, celui-ci se désolant de n'avoir pu faire fortune et de ne rien laisser à ses enfants, ceux-là le consolant et le remerciant des valeurs et de l'éducation reçues, et Alberto semblait être un homme bon en effet. Puis il avait évoqué le souvenir de ses séjours parisiens, de ses marches avec bonheur au hasard des rues. Nous marchions pour la première fois dans celles d'Iquitos, Pierre bien davantage que moi. Je mentionnais la Maison en fer de Gustave Eiffel, la Casa de Fierro, au coin de cette place d'Armes, que je voulais décrire dans cette histoire d'Iquitos depuis sa fondation, et mentionnais aussi *La Jangada*, roman dont le point de départ est à Iquitos. Nous avions sorti les billets de deux cents soles et réglé les tournées.

Pierre & Jules

> Et si par lui... oui ! par lui, quelque malheur
> arrive à mon père... je le tuerai !
>
> VERNE, *La Jangada*

Nous reprenions nos lectures. De la querelle des carnets, il n'était plus question. Nous échangions les livres de la petite bibliothèque amazonienne. Même s'il disait avoir lu quelques années plus tôt avec un grand plaisir *Le Tour du monde en quatre-vingts jours*, Pierre concédait que *La Jangada* lui était un peu tombé des mains.

Le passage du temps modifie la lecture de ces romans qui reposaient sur la découverte géographique. Le suspens du début de *Cinq semaines en ballon* est éventé : après que les aérostiers avaient décollé à Zanzibar, glissaient vers l'ouest jusqu'au lac Tanganyika, les premiers lecteurs se demandaient ce que Verne allait décrire de l'autre côté, sur le grand vide inconnu du cœur de l'Afrique, que Stanley ne verrait que des années plus tard. Un opportun vent du sud avait poussé le ballon vers le nord et des zones déjà connues. Au lieu de suivre l'équateur, de se poser à São Tomé e Príncipe, il s'était posé au Sénégal. Depuis que nous connaissons la cartographie du Congo comme de l'Amazonie, le ressort ne joue plus : peu de lecteurs de *La Jangada*, lors de sa parution en 1881, avaient en tête des images du grand fleuve. L'intérêt, de géographique, est devenu historique.

Fondée depuis vingt ans lorsqu'il se met au travail, la bourgade d'Iquitos, perdue loin de tout au cœur de la forêt, est une avancée triomphante de la civilisation industrielle. L'année même de sa fondation, Jules Verne avait écrit, en 1860, son premier roman, pessimiste, *Paris au XXe siècle*, vision apocalyptique qui ne paraîtrait que longtemps après sa mort. L'éditeur Pierre-Jules Hetzel pousse Verne à chanter au contraire les louanges du Progrès. Celui-ci consigne tout de même, dans *La Jangada*, une notation ethnographique moins enthousiaste : « À cette médaille de l'avenir, il y a un revers. Les progrès ne s'accomplissent pas sans que ce soit au détriment des races indigènes. »

La famille Garral entreprend de descendre le fleuve depuis Iquitos à bord d'une jangada, un train de grumes, pour aller vendre ces troncs à la côte. Leur village flottant est davantage confortable que ceux d'Orellana ou d'Aguirre. « Ce serait, en vérité, comme une partie de la fazenda d'Iquitos qui se détacherait de la rive et descendrait l'Amazone. » On a bâti sur l'immense radeau des appartements, une église avec prêtre et clocher. Ils emmènent avec eux quarante Indiens et quarante Noirs, du personnel de maison et du bétail. On a chargé de la terre pour y cultiver des jardins, y faire pousser fruits et légumes. Cette utopie d'une île en mouvement, vivant en autarcie, est un rêve vernien récurrent.

Sa géographie du nord péruvien est celle de l'époque, un peu approximative, même fautive dans ses exposés didactiques : « Le village d'Iquitos est situé près de la rive gauche de l'Amazone, à peu près sur le soixante-quatorzième méridien, dans cette partie du grand fleuve qui porte le nom de Marañón, et dont le lit sépare le Pérou de la République de l'Équateur, à cinquante-cinq lieues vers l'ouest de la frontière brésilienne. » L'intrigue repose sur le déchiffrement d'un message crypté. La lecture de celui-ci permettrait de laver l'honneur du père injustement accusé d'un meurtre. Comme souvent chez Verne, c'est le papier qui révèle la réalité, même si l'on peut douter de la profusion des ouvrages alors consultables à Iquitos : « Allons à la bibliothèque ! Prenons tous les livres, toutes les cartes qui peuvent nous faire connaître ce bassin magnifique ! Il ne s'agit pas de voyager en aveugles ! Je veux tout voir et tout savoir de ce roi des fleuves de la terre ! »

Au long de leur grande descente, ils font l'éloge des « beautés de ce fleuve sans rival, qui arrose le plus beau pays du globe, en se tenant presque constamment à quelques degrés au-dessous de la ligne équatoriale ». Ils voient bondir de « gracieux dauphins ». Après avoir passé la ville de Manao, la jangada, en chemin pour Belém, atteint Santarém qu'avec Pierre nous avions quitté depuis des semaines : « On vit alors le confluent de Tapajoz, aux eaux d'un vert gris, descendues du sud-ouest ; puis Santarem, riche bourgade où l'on ne compte pas moins de cinq mille habitants, Indiens pour la plupart, et dont les premières maisons reposaient sur de vastes grèves de sable blanc. »

père & fils (puis fille)

C'est mon père, répondit Jean, et je suis venu au
Venezuela pour retrouver mon père.

VERNE, *Le Superbe Orénoque*

Dix-sept ans après *La Jangada*, Verne publie un deuxième
et dernier roman amazonien. Il a soixante-dix ans. Plusieurs
livres paraîtront encore avant sa mort, puis son fils Michel
bricolera les inédits.

S'il se met à cette histoire, c'est après avoir lu les rapports
des deux expéditions de Jean Chaffanjon, en 1884 et 1887,
publiés par la revue *Le Tour du monde*, ce Chaffanjon qui
déclarait être devenu explorateur à la lecture des *Voyages
extraordinaires*. Verne ouvre aussi sur son bureau, lui qui
ne bouge pas, et donne aux autres l'envie de bouger, le
dix-huitième volume de la *Nouvelle Géographie universelle*
d'Élisée Reclus. C'est sous l'autorité de cet anarchiste,
peu militariste, qu'il moque l'armée vénézuélienne, cette
« armée permanente, qui compte six mille soldats, et dont
l'état-major a possédé jusqu'à sept mille généraux sans
parler des officiers supérieurs ».

Le jeune Jean se lance à la recherche de son père
officier disparu en ces contrées depuis quatorze ans. Il

est accompagné du fidèle sergent Martial qui fut son aide de camp. Les deux hommes mettent leurs pas dans ceux de Chaffanjon. Tout au long de son parcours, celui-là, républicain et patriote, qui avait combattu dans les rangs de Garibaldi après la défaite de 1870, avait baptisé à son gré les particularités du pays, leur avait donné des noms de grands Français plutôt que de mauvais Allemands voleurs de l'Alsace et de la Lorraine, ici le pic Ferdinand-de-Lesseps, là le pic Charles-Maunoir, président de la Société de Géographie de Paris. Et lorsqu'ils traversent un village, il est « tel que l'avait vu M. Chaffanjon huit ans auparavant », dans lequel l'explorateur avait rencontré le personnage réel de Marchal, lequel devient, huit ans plus tard, un personnage de fiction, dans cet aller-retour du texte imprimé à la réalité.

Si ce roman est amazonien, il est cependant tout empli de la nostalgie du vieux Verne, à Amiens, pour l'estuaire de la Loire, et son enfance dans la maison de son père à Chantenay, dont il fait la maison d'enfance du jeune Jean, comme s'il était lui-même à la recherche de son père disparu. « Trois semaines auparavant, après avoir quitté leur maison de Chantenay, près de Nantes, ils avaient été s'embarquer, à Saint-Nazaire, sur le *Pereire*, paquebot de la Compagnie transatlantique, à destination des Antilles. De là, un autre navire les avait transportés à la Guayra, le véritable port de Caracas. Puis, en quelques heures, le chemin de fer les avait conduits à la capitale du Venezuela. »

En chemin, Jean et Martial, lequel se fait passer pour son oncle, croisent deux explorateurs, un géographe et un botaniste. « C'étaient deux Français, deux Bretons, deux Nantais. » Alors qu'ils entrent sur le territoire des Indiens Guaharibo, ils éprouvent « cette joie de retrouver des compatriotes ». Ils remontent ensemble le fleuve Orénoque au milieu des étendues herbeuses du llano, mais décidément la nostalgie bretonne du septuagénaire amiénois, qui approche de la fin de sa vie, est trop forte, et il la communique au jeune Jean. « Ces longues plaines qui s'étendent au-delà des deux rives me rappellent plutôt les prairies de la basse Loire, du côté du Pellerin ou de Paimbœuf.

– C'est ma foi vrai, mon neveu, et je m'attends à voir paraître le bateau à vapeur de Saint-Nazaire, le pyroscaphe, comme on dit là-bas…

– Et s'il vient, le pyroscaphe, répondit le jeune garçon, nous ne le prendrons pas, mon oncle… Nous le laisserons passer… Nantes est maintenant où est mon père, n'est-ce pas ?

– Oui, là où est mon brave colonel, et lorsque nous l'aurons retrouvé, lorsqu'il saura qu'il n'est plus seul au monde, eh bien… il redescendra le fleuve avec nous en pirogue… puis sur le *Bolivar*… puis il prendra avec nous le bateau de Saint-Nazaire… et cette fois… ce sera bien pour retourner en France !

– Dieu t'entende, murmura Jean. »

Si Manaus poursuit Milton Hatoum où qu'il aille, je concède que lire le nom du port fluvial de Paimbœuf m'offrait un plaisir enfantin. Si Verne, lui, s'en souvient, c'est parce qu'à l'âge de onze ans, avec le projet de partir dans les îles, et de rapporter un collier de corail à sa cousine Caroline, il avait fait une fugue, et s'était embarqué mousse à Nantes. Son père l'avait cueilli à la dernière escale de Paimbœuf, avant que le navire gagne l'océan à Saint-Nazaire.

C'est alors que se pointe à nouveau dans le récit l'énigme du canal de Casiquiare – « le Casiquiare valait la peine d'être visité par un explorateur, bien que sa largeur, en cet endroit, ne dépasse guère une quarantaine de mètres ». Ce canal dont Verne, suivant en cela Reclus, fait un défluent de l'Orénoque, et non un affluent, comme le prétendait Humboldt, ce canal reliant l'Amazone par le rio Negro, et que, selon Uztarroz, aurait emprunté la troupe d'Aguirre pour gagner l'actuel Venezuela, la tentation est grande de compliquer encore son énigme. Apprenant que, certaines années, suivant la variation des débits, en fonction de l'ampleur d'El Niño, certains paranas du Brésil inversaient leur cours, on pouvait se demander si ce Casiquiare, Aguirre ne l'avait pas descendu plutôt que remonté, à un moment ou l'Amazone très haute versait son eau dans l'Orénoque et non l'inverse. On connaît mal les conditions météorologiques et la pluviométrie de cette année 1561. Pas davantage sans doute celle de l'année 1800, lorsque Alexander von Humboldt était venu en effectuer le relevé.

L'oncle et le neveu poursuivent leur chemin. « À gauche se massait une forêt de caoutchoucs dont les gomeros tiraient profit. » Après les habituels rebondissements, fourberies, fausses identités, périls, coups de feu, traquenards, histoires d'amour, Jean se révèle être Jeanne déguisée en garçon. Tout finit bien, ainsi que l'exigeait Pierre-Jules Hetzel. Mais il est mort déjà. C'est son fils, Louis-Jules, qui tient la maison. « De Caïcara, le paquebot de l'Apure transporta les voyageurs en deux jours à Ciudad-Bolivar, d'où le chemin de fer les conduisit à Caracas. Dix jours après, ils étaient à La Havane, près de la famille Eredia, et vingt-cinq jours plus tard en Europe, en France, en Bretagne, à Saint-Nazaire, à Nantes. »

Wolfgang & Frederik

Pour relier géographiquement ces deux œuvres de la fiction vernienne, il faudrait attendre la mission d'Alain Gheerbrant et son rapport *Orénoque-Amazone, 1948-1950,* parcours de Bogotá à Belém en reliant les deux fleuves par les « terres basses nord-amazoniques » et longeant le canal de Casiquiare.

L'entreprise cette fois n'est plus seulement géographique comme chez Chaffanjon mais ethnographique. La troupe s'installe chez ce peuple que Gheerbrant nomme encore après Verne les Indiens Guaharibo et plus tard Yanomami. Les hommes transportent de très lourdes caisses, tout un matériel cinématographique et un studio d'enregistrement, des caméras et les grandes boîtes métalliques des bobines de pellicule, à bord de pirogues qui chavirent dans les rapides, à travers les montagnes de la Parima pour franchir la ligne de partage des eaux. Enfin « nous pûmes graver nos premiers disques de la musique piaroa, grâce à Mozart qui devait nous rendre encore bien d'autres services, tout au long de l'expédition ».

Chez les Indiens Makiritare, voisins plus évolués, qui donc réduisaient parfois les Guaharibo en esclavage, le succès est identique : « ce fut ainsi que le 10 novembre 1949 Mozart enregistra sa seconde victoire sur la méfiance des Indiens, devant la chute de Tencua, porte de la Sierra Parima ». Ce disque qu'ils faisaient écouter aux Indiens éblouis, démontrant au passage l'intuition kantienne, que le beau est ce qui plaît universellement sans concept, c'était la symphonie n° 26 en *mi* bémol. Un Blanc venu avant eux, mais sans Mozart, ils l'avaient coupé en petits morceaux.

Reprenant *Tristes Tropiques* plus de quarante ans après une première lecture, j'avais été surpris d'y retrouver Chopin. À un moment où Lévi-Strauss s'ennuie au milieu des Indiens autant que son collègue Buell Quain, il s'interroge : « À pratiquer ce métier, l'enquêteur se ronge : a-t-il vraiment abandonné son milieu, ses amis, ses habitudes, dépensé des sommes et des efforts si considérables, compromis sa santé, pour ce seul résultat : faire pardonner sa présence à quelques douzaines de malheureux condamnés à une extinction prochaine, principalement occupés à s'épouiller et à dormir, et du caprice desquels dépend le succès ou l'échec de son entreprise ? » Il ne dispose pas d'enregistrement, et c'est de tête qu'il retrouve l'étude n° 3 opus 10. « Je me disais que le progrès qui consiste à passer de Chopin à Debussy se trouve peut-être amplifié quand il se produit dans l'autre sens. Les délices qui me faisaient préférer Debussy, je les goûtais maintenant chez Chopin, mais sous une forme implicite, incertaine encore, et si discrète que je ne les avais pas perçues au début. »

Cette nouvelle lecture m'emmenait loin de la forêt vers le chalet de Chamonix. Comme souvent lorsque que nous nous retrouvions, Bruno Mégevand, président de la Société Gustav Mahler de Genève, me rappelait que le compositeur était né en 1860, et qu'il devrait bien apparaître un jour dans ces récits. J'avais écouté grâce à lui, avec la plus grande concentration, la symphonie n° 2 qui avait bouleversé sa vie. Sans parvenir encore à l'exaltation qui fut la sienne. Moins mélomane que cinéphile, je connaissais alors celle jouée par l'orchestre du Grand hôtel des Bains dans *Mort à Venise* de Visconti, film dans lequel n'apparaissait pas le dégoût de la jungle éprouvé par le vieux Gustav von Aschenbach.

Outre la musique et l'ennui, que je retrouvais aussi chez Gheerbrant – « Il fallut des semaines et des mois d'accoutumance à la forêt pour que nous puissions, tels les Indiens, y déceler du premier coup d'œil les animaux » –, se lisaient encore dans tous ces textes les affections corporelles, les pieds pourris, la fatigue, les blessures, les infections, tout cela qui semblait être le prix à payer pour ces progrès musicologiques, du temps que ces Blancs, qui n'avaient plus le prétexte de la conquête brutale ou de la colonisation, s'étaient emparés de l'étendard de la science anthropologique pour parvenir à atteindre cet épuisement physique que peut-être ils cherchaient avant tout, cet égarement jusqu'à la folie chez Buell Quain, ou la découverte de l'ascèse par la faim chez Peter Fleming, qui aurait pu pratiquer le jeûne à Londres, autant d'attitudes susceptibles de faire rire Ipavu, l'Indien qui préférait s'envoyer une petite bière bien fraîche en ville, et dormir dans un lit plutôt que dans un hamac en forêt.

père & fils

Un qui ne doutait physiquement de rien c'est Maufrais, le fils Maufrais, Raymond, écrivant encore dans son délire fiévreux « Je vous ai juré de revenir, je reviendrai », et ne revint pas.

C'est encore une histoire filiale qui m'avait amené vers lui : il avait comme mon père rejoint la Résistance dans les maquis du Lot. Ces deux-là n'avaient pas vingt ans. Si l'un avait défilé dans Cahors libéré, l'autre ce fut dans Toulon. Après la Libération, Maufrais devient parachutiste. Il pourrait aller mourir en Indochine. Au lieu de quoi il quitte l'armée, gagne Rio, trouve un petit boulot à l'Agence France Presse, contacte le Service de protection des Indiens, parvient à intégrer en 1946 la mission de Francisco Meirelles auprès des Indiens Chavante, gagne à cheval les rives de l'Araguaia. À son retour du Mato Grosso, il écrit des papiers, donne en France des conférences, il se prétend explorateur, ce qu'il n'est pas encore. Il lui faut repartir.

Lorsqu'il débarque à Cayenne en janvier 1950, à vingt-trois ans, Raymond Maufrais est une tête brûlée qui rêve d'exploits. À l'époque, Alain Gheerbrant est depuis des mois déjà plus à l'ouest, dans les jungles de l'Orénoque.

Maufrais est plus moderne, il ne s'embarrasse d'aucun prétexte, ni la cartographie ni l'ethnologie. Son entreprise est un pur défi inutile, l'un de ces raids dont s'empareront plus tard les sponsors publicitaires et les chaînes de télévision, « seul et sans assistance », il veut être le premier à traverser l'Amazonie de la Guyane au Brésil, à établir la jonction Cayenne-Belém par les monts Tumuc Humac, qui tracent la ligne de partage des eaux entre les deux bassins. C'est environ deux mille kilomètres à vol d'oiseau.

On l'en dissuade.

Il part cependant, avec son chien Boby, emprunte des pirogues puis entame sa marche solitaire, sans aucune provision de bouche, abusé peut-être par les phrases de ce farceur de Jules Verne dans *Le Superbe Orénoque*, lequel n'avait pas quitté Amiens : « On le sait, ce n'était pas la question de la nourriture qui eût jamais causé d'inquiétude en parcourant de si giboyeux territoires. Même à l'entrée de la forêt, on voyait voler des canards, des hoccos, des pavas, gambader des singes d'un arbre à l'autre, courir des cabiais et des pécaris derrière les épaisses broussailles, fourmiller dans les eaux du rio Torrida des myriades de poissons. » C'est pourtant la faim davantage que la solitude qui le tourmente. La forêt est vide de gibier, ou bien il ne sait pas chasser. On lit dans son journal la lente agonie, le sac trop lourd qu'il allège, et quelques pages plus loin : « J'ai tué Boby. J'ai eu la force de le dépecer, de faire du feu. J'ai mangé et puis j'ai été malade. »

Assis seul sur le ponton du Dégrad Claude, embarcadère où personne ne vient, au bord de l'inanition il mâche des herbes de la rive et les petites bestioles qu'il y trouve, reprend son journal. « À bientôt, parents chéris ! Confiance, je laisse ici ce cahier. » Il écrit la dernière phrase,

« Je vous ai juré de revenir, je reviendrai », suspend son sac en évidence à une branche, entreprend de poursuivre à la nage. Il sait qu'en forêt il n'y a pas de vie possible à l'écart des rivières. Il disparaît, se noie ou se blesse et s'infecte, meurt de faim ou sous des crocs. Le sac sera trouvé par le chef indien Monpeyra, apporté à la gendarmerie. Quelques semaines plus tard, un article paraît dans *La République du Var* : « Les bagages de Raymond Maufrais retrouvés dans la forêt ». Jusque-là c'est un fait divers. Il faut bien que certains casse-cous meurent pour que les autres fassent frémir.

C'est avec le départ du père que commence l'aventure. Edgar Maufrais, modeste comptable à l'Arsenal de Toulon, est un quinquagénaire fragile des poumons et clopeur invétéré. Les chiens ne font pas des chats : il a été résistant lui aussi, a connu la détention en Allemagne. Son fils a disparu sans laisser de traces. Il est peut-être prisonnier d'une tribu hostile, ou blessé puis amnésique dans une tribu paisible. Le père négocie avec l'Arsenal, vend ce qui peut l'être, abandonne la mère dans le petit appartement où la chambre du fils est prête pour son retour.

Deux ans plus tard il est à Rio, avec le projet de parcourir le trajet inverse de celui de Raymond et de le trouver en chemin. Il rencontre Francisco Meirelles, est même reçu par le vieux maréchal Rondon. Une collecte organisée par la communauté française lui permet de s'équiper, l'armée de l'air brésilienne le dépose à Belém. Il remonte l'Amazone jusqu'à la confluence du Jary, continue en pirogue, marche à travers les monts Tumuc Humac, redescend par l'Itany et le Maroni vers Maripasoula. Dans tous les villages, il a montré des photos de Raymond. Au bout de cinq mois il est au Dégrad Claude, interroge le chef Monpeyra. Le père a réalisé le projet du fils. C'est lui l'explorateur. C'est une prouesse mais il est accablé, aussitôt il repart.

Le bruit court de la présence d'un Blanc mystérieux dans un village près de Santarém, à Alenquer. Depuis Belém le père monte à bord du vapeur pour Manaus. Il est physiquement aguerri mais naïf encore. À Santarém on le jette quelques jours en prison pour recel, après qu'il a hébergé dans sa chambre d'hôtel un compatriote beau parleur mais mythomane, escroc voleur de bijoux. Il connaîtra un nouvel échec dans le village de Bom Futuro où vivait autrefois un Polonais. Après trois années de vaines recherches, il est de retour à Toulon. La mère attend dans la chambre de Raymond. Le père publie *À la recherche de mon fils*, il repart.

De 1952 à 1964, enfermé dans son obsession jusqu'à la folie, avec un acharnement qui provoque autour de lui une incompréhension croissante, il consulte voyants et radiesthésistes qui l'envoient vers d'autres fiascos, multiplie les expéditions, vingt-deux en douze ans. Le vieil Edgar devient une figure familière dans certaines tribus indiennes, depuis le Mato Grosso dans le sud jusqu'aux Guyanes dans le nord. Le vieillard sec et noueux, d'une terrible endurance, bondit sur le moindre indice, se lance dans de nouvelles équipées dangereuses et inutiles qui sont à présent l'ordinaire de la vie de l'ancien comptable. Après avoir mené huit expéditions dans le seul triangle Santarém-Itaituba-Manaus, il rentre en France, repart, cette fois en compagnie d'un garçon de l'âge de son fils.

Celui-là, Daniel Thouvenot, tiendra la chronique des douzième et treizième trajets. Comme Raymond il se rêve explorateur. Il a le goût des armes et de la chasse, du portage et de l'épuisement physique. On lit dans son journal, à la date du 20 septembre 1956 : « Une forte crise de paludisme cloue Edgar Maufrais dans son hamac ; il grelotte de fièvre et se trouve dans l'impossibilité absolue de se lever. Dans son délire, il ne cesse d'appeler son fils. » Thouvenot doit quitter le Brésil pour accomplir son service militaire, puis c'est la guerre d'Algérie. Edgar Maufrais perd aussi son fils de substitution. Au cours de ses vingt-deux expéditions, il a effectué trois fois cette jonction de l'Amazone à la Guyane pour laquelle son fils est mort. Mais lui n'y croit toujours pas. Il affiche à son intention un dernier message au Dégrad Claude, dans un bidon cloué à l'arbre où le chef indien avait trouvé quatorze ans plus tôt son journal, puis rentre mourir à Toulon.

Nourrissant le projet de quitter l'Amérique pour aller voir ailleurs, toujours plus à l'ouest, plutôt que d'arpenter pendant douze ans cette jungle, je conseillais à Pierre de ne pas s'aventurer seul trop loin dans la forêt. Même ses baignades m'inquiétaient : si nous avions tous deux nagé dans le Tapajoz brésilien, Pierre continuait seul dans l'Ucayali péruvien, sans crainte du redoutable candiru. Le soir sur le pont, navire au mouillage, nous parvenaient les effluves des végétaux pourris, feuilles, mousses, fougères, sphaignes, l'odeur de la vase. La spiritualité des brumes glissait au ras de l'eau. Nos pensées en étaient imbibées, humides. Nous fumions en silence ou parlions à voix basse, sifflotions du pisco.

à bord

Pendant des semaines, dans la promiscuité des cabines de bateau ou des chambres d'hôtel, on ne peut jouer ni mentir, on finit par apparaître tel qu'on est : mais pas si on est un père et un fils. L'amitié paternelle et filiale est interdite, tabou pour les anthropologues. Elle supposerait une impossible égalité, une fraternité, laquelle, comme son nom l'indique, bousculerait l'ordre des générations. Le père quoi qu'il fasse est trop fragile, qui se souvient d'avoir été un fils.

Nous trimballions malgré nos efforts ces résidus ataviques, ces archaïsmes inscrits. Le père trop encombré de son amour dissimule cette faiblesse devant le fils qui l'épie. Mais nous étions aussi des hommes adoucis par des siècles d'humanisme, tout de même affleurait peu à peu une pointe de cet iceberg que nous avions dans la poitrine, grâce à l'attention peut-être que nous portions à nos rêves comme à nos cauchemars, dont nous échangions parfois le récit, grâce à nos éclats de rire. Nous partagions notre sympathie pour le curieux mammifère arboricole qu'on appelle aï – souvent en français dit « paresseux », plutôt que « sage », ou « paisible » –, lequel descend de son arbre une fois par semaine, très lentement, pour déféquer à terre, puis, de ses

longs doigts griffus, remonte son tronc, reprend ses rêve-
ries tête en bas, suspendu, mâchouille ses feuilles, n'ennuie
personne. Ces animaux s'accouplent tous les deux ou trois
ans. Ni le mâle ni la femelle ne se soucie de la progéniture.
Mais l'homme est un animal généalogique.

Nous en venions à évoquer l'ennui majuscule, parfois
fécond et souvent stérile, et l'irrépressible besoin de solitude
cependant, dont nous souffrions et que nous recherchions,
le goût pour la vie contemplative plutôt qu'active, le refus
du divertissement. Pierre ne partageait que ses dessins et
des textes brefs, sans fiction, des poèmes en prose assez
pongiens, éloges d'oiseaux comme le hoatzin huppé, ou
d'infimes et mystérieuses bestioles telle la scutigère.

Assis sur le pont de ce navire quelque part dans la forêt
amazonienne, je nous revoyais aussi seize ans plus tôt à
Comillas en Cantabrie, ou à Viveiro en Galice, du temps
de ce voyage tous les deux à bord de la vieille Mercedes
blanche. Le soir je lui lisais alors des extraits des *Vies parallèles*. Le reste du temps, solitaire, il écrivait et dessinait dans
ses carnets. Nous n'étions plus les mêmes seize ans plus
tard. Pourtant, de tout cela, nous conservions en mémoire
des images, différentes sans doute pour l'un et l'autre.

Nos souvenirs récents l'étaient aussi, différents. Ainsi cet
épisode brésilien du panier de goyaves, que nous avaient
offert une mère et son fils : c'est davantage la fin de cette
journée, les heures qui avaient suivi, qui revenaient dans ses
propos. N'imaginant pas ne plus manger que des goyaves,
nous avions rejoint avec le canot une épicerie sur pilotis
au bout d'une passerelle, seul îlot de lumière au milieu
du noir infini du fleuve et du ciel. Autour du comptoir se
tenaient quelques hommes silencieux, aussi des femmes et

des enfants, lesquels s'attendaient à rester entre eux. Nous avions appris que le matin un enfant avait été mordu par le serpent à travers sa botte en caoutchouc. Une pirogue l'avait emmené vers l'un de ces dispensaires ouverts du temps de Lula. Ils attendaient d'avoir des nouvelles le lendemain.

Un groupe électrogène alimentait quelques lampes suspendues, ainsi qu'un téléviseur à grand écran dont le son était coupé, réglé sur l'une de ces chaînes de faits divers sanglants, à bandeau défilant dans la partie inférieure. Des images passaient en boucle d'un braquage, de flingues, de motos, de feux rouges. Et peut-être le groupe se demandait s'il ne valait pas mieux encore côtoyer le serpent que la délinquance urbaine. Le mot urbanité avait inversé sa signification, qui opposait autrefois la politesse de la ville à la rudesse des campagnes. Ou bien, il ne se demandait rien, le groupe, qui ne portait aucune attention à l'écran, monstre familier sur lequel devait défiler, à longueur de journée, les mêmes images de violence. Nous nous étions tous retrouvés une petite bouteille de bière à la main.

L'un des hommes avait enlevé la bâche qui recouvrait un billard, posé sur le plancher à claire-voie au-dessus de l'eau. Pierre s'était joint à la partie. Les enfants agglutinés observaient les joueurs. Tous portaient des maillots à manches courtes et peut-être les intriguait sa chemise blanche à manches longues, nouées au poignet pour se protéger des moustiques. Dans une chaleur fraternelle tous les hommes riaient, clope au bec, ainsi que Pierre, pourtant en train de se faire rétamer au billard. Le marin de la *Jangada* qui pilotait le canot fumait au comptoir, un peu inquiet parce que nous étions partis sans fanal. J'étais assis à l'écart sur un minuscule tabouret près de la rambarde, devant un seau en plastique où s'agitait un poisson noir et brillant, comme en cuir, préhistorique.

Peut-être cette scène du billard figurait-elle dans le carnet de Pierre, ainsi que la recension exacte de nos déplacements quand je ne faisais que consigner des détails, un récit qui pourrait porter l'un de ces titres emphatiques des chroniqueurs espagnols, *El verdadero relato…*, *La très véritable et très véridique relation du voyage du père et du fils en Amazonie sans fiction aucune.* Il suffit de laisser passer le temps pour que la fiction apparaisse d'elle-même. Gaspar de Carvajal n'a pas menti, il se voulait un témoin scrupuleux. Il a vu les Amazones. Que voyions-nous vraiment, des siècles après lui, qui plus tard ferait sourire ou hausser les épaules ? Sans doute en premier lieu ces histoires de filiation, de pères et de fils, de mères, de filles, mots qui peut-être disparaîtraient devant les manières nouvelles et absolument modernes qui feraient apparaître des humains. Un père et un fils biologiques. Et pourquoi pas non plus des Amazones sur le fleuve.

Carlos & Antonio

Allongé dans la cabine, je reprenais ces histoires assemblées autour d'Iquitos depuis sa fondation en 1860, quelques centaines d'Indiens autour d'une église en bois, isolés du monde. Cette année-là fut enregistrée la première voix humaine que nous pouvons encore écouter, non pas un sermon, mais celle de Scott de Martinville qui chante *Au clair de la lune*. Cette année-là Mouhot voit le premier les temples d'Angkor et Berns le Machu Picchu, Walker est fusillé sur une plage du Honduras et la guerre civile couve aux États-Unis, Gordon et Garnier participent au sac du palais d'Été à Pékin, Lenoir dépose le brevet du moteur à explosion, Garibaldi prend Naples et la Sicile. Louis Pasteur escalade la mer de Glace avec ses fioles. Jules Verne écrit son roman d'anticipation pessimiste. Gustave Eiffel dessine et fait fabriquer une maison en fer.

Dans les années qui suivent, le triumvirat atteint une gloire planétaire : la microbie pasteurienne jusqu'au vaccin antirabique, les romans verniens devenus optimistes, quant à Eiffel, si ses constructions métalliques boulonnées permettent de jeter des ponts sur les fleuves de tous les continents, le projet de maisons en fer est abandonné. Lorsqu'il bâtit sa grande tour à croisillons pour l'Exposition universelle du centenaire de la Révolution, monument tout en fer algérien, dont le gouvernement de Bouteflika pourrait un jour exiger la restitution, Eiffel expose à nouveau sa maison en fer. Elle est achetée par le baron du caoutchouc Antonio Vaca Diez, démontée, embarquée sur l'Atlantique à destination de Belém, puis sur l'Amazone convoyée par Santarém et Manaus jusqu'à Iquitos, où elle est remontée sur la plaza de Armas où n'était pas encore le Hilton. La maison est à deux niveaux. Les poutrelles et les panneaux rectangulaires qui la composent sont peints en gris, passés au minium contre la rouille et les pluies équatoriales. La plaque qu'on apposera plus tard sur la façade de cette Casa de Fierro n'affichera cependant aucune référence à Paris ni à Eiffel, ni à la mort tragique et commune d'Antonio Vaca Diez et de Carlos Fitzcarrald : « Simbolo de la epoca del caucho (1880-1914). Traida por el cauchero Vaca Diez en 1889, para instalarla en el Río Madre de Dios, pero lo dificil de su traslado, obligo armarla en este lugar ».

Si nous marchions derrière Aguirre lors de notre très brève descente du Marañón, c'est vers ces deux-là que nous avancions sur l'Ucayali, en direction de ce lieu toujours indiqué sur les cartes comme l'arche Carrald, ou l'isthme Carrald.

Fils du marin états-unien Fitzgerald et d'une Péruvienne, né en 1862, il modifie son nom véritable mais imprononçable, se fait appeler Carlos Fitzcarrald, combat pendant la guerre qui oppose le Pérou au Chili. On ne sait s'il fut traître ou héros mais il s'enfuit, se cache chez les Indiens, se fait aventurier, vit au milieu des tribus, recrute des saigneurs, exploite l'hévéa, devient en 1888, à vingt-six ans, le baron du caoutchouc de l'Ucayali et de l'Urubamba.

En cette année 1888, après sept ans de travaux, c'est le scandale du Panama. La société de Ferdinand de Lesseps est en faillite et les travaux sont interrompus. Cette crise n'a pas de conséquence sur l'exploitation de la gomme, puisque c'est encore vers l'est et l'Europe qu'il faut exporter. D'Iquitos à Belém, ce sont près de quatre mille kilomètres de navigation sur les méandres. Le caoutchouc de Fitzcarrald est moins rentable que celui des barons concurrents installés en aval. Il cherche une voie plus courte pour rejoindre l'Amazone et Manaus par le río Madeira. Un tel parcours nécessite de franchir la ligne de partage des eaux. Pendant des mois, des années, il arpente les forêts à la tête d'une troupe d'Indiens, effectue des relevés, localise la liaison terrestre la plus étroite entre le bassin de l'Ucayali-Urubamba et celui du Madre de Dios-Madeira.

Lorsqu'il est à Iquitos, il mène grand train, fait édifier un hôtel particulier richement décoré. Peut-être serait-il même assez riche pour financer un opéra. On décrit un homme courtois, élégant, vêtu de costumes anglais et coiffé du panama, homme aux affaires florissantes et jeune père de famille. Il pourrait en rester là mais c'est une obsession, le rêve et la conquête de l'inutile. On lui livre en 1893 le vapeur *Contamana*. À bord de celui-ci, il remonte en juillet 1894 l'Ucayali puis le Camisea. Un millier d'Indiens sous ses ordres entreprennent de défricher, de tracer une piste verticale sur le varadero, la colline dont le sommet est à quatre cents mètres au-dessus des deux rivières. On ébarbe les troncs des arbres abattus dont on fait un gigantesque escalier. Le vapeur est désarmé, la chaudière déposée, la coque halée sur la pente au palan et au cabestan.

La prouesse évoque toute cette flotte des navires démontés puis remontés, le *Yavari* sur le lac Titicaca, le

Lady Alice de Stanley porté à terre pour passer les rapides du Congo, le *Faidherbe* du capitaine Marchand plusieurs fois déboulonné puis reconstruit depuis l'Atlantique jusqu'à Fachoda de l'autre côté de l'Afrique, le *Florida* en caisses dont Roger Casement surveillera le transfert jusqu'au Stanley-Pool, comme le *Graf Goetzen* envoyé par les Allemands jusqu'au lac Tanganyika, comme le *La Grandière* envoyé par les Français sur le Mékong jusqu'au nord du Laos, pour bouter les Anglais et venger Fachoda. Sous la conduite de Fitzcarrald, un millier d'Indiens hisse en deux mois la coque du *Contamana* sur l'échelle de rondins. La proue métallique se dresse à quatre cents mètres dans le ciel au-dessus de la jungle amazonienne, bascule, glisse. Les pièces et la machine sont portées à dos d'hommes ou tirées au filin, le navire qui a changé de lit est réarmé, passe la frontière du Brésil, rejoint Manaus où Fitzcarrald avait envoyé l'attendre sa femme Aurora et ses enfants. Il fait la une des journaux. Sa gloire sera brève.

C'est l'histoire aussi d'une amitié. Le baron du caoutchouc péruvien Carlos Fitzcarrald continue de vivre à Iquitos. Il y reçoit le baron du caoutchouc bolivien Antonio Vaca Diez, lequel dispose de son pied-à-terre en fer sur la place d'Armes. Celui-là est plus vieux de dix ans, né en 1852 à Sucre, il a connu les frasques du tyran francophile Mariano Melgarejo. Il a trente ans lorsque la Bolivie perd dans la guerre contre le Chili son accès à l'océan. Vaca Diez a bâti sa première fortune sur les écorces de cinchonas dont on extrait la quinine, qu'il envoyait depuis le Beni vers les hauts plateaux andins et le lac Titicaca, puis le chemin de fer péruvien de Puno les transportait jusqu'à la côte du Pacifique. Il laissera l'image d'un bon vivant lettré, rondouillard et hâbleur. Sur une boucle du río Madre de Dios, il est propriétaire d'une imposante demeure au milieu de la forêt, entourée de ses magasins, hangars et ateliers, d'un hôpital et d'une école. Il a importé une presse d'imprimerie et créé le premier hebdomadaire bolivien, *La Gaceta del Norte*. Ses deux fils sont en pension à Paris.

À présent que leurs cargaisons empruntent le même chemin, les deux hommes décident d'unir leurs affaires. Ils imaginent installer sur la colline de l'exploit un chemin de fer à crémaillère. Vaca Diez se rend en France, passe commande des rails et d'une petite locomotive à l'usine de Paul Decauville. Cette fonderie expédie aussi des statues équestres dans toute l'Amérique latine qui en est friande, ainsi que le grand monument à la gloire des Centraméricains terrassant William Walker, toujours dans un parc de San José du Costa Rica.

Le 9 juillet 1897, les deux associés sont à bord de leur nouveau navire, l'*Adolfito*, et remontent l'Ucayali. Dans la cale sont allongés les rails, dans les cabines sont logés les ouvriers et les contremaîtres du chantier ferroviaire. L'embarcation est prise dans les tourbillons, s'écrase sur les rochers, sombre. On évoquera une erreur de navigation, ou la malédiction frappant les ambitieux qui veulent modifier la géographie voulue par Dieu. On retrouvera deux corps agrippés l'un à l'autre. Fitzcarrald, le noyé péruvien, avait trente-cinq ans, Vaca Diez, le noyé bolivien, quarante-cinq. Ce naufrage, c'était six mois après l'inauguration de l'opéra Amazonas à Manaus.

Dans son *Fitzcarraldo*, Werner Herzog imagine que le baron du caoutchouc dont il s'inspire voulait ouvrir le même opéra à Iquitos. Tout au long du film, sur le pont du vapeur, un gramophone à pavillon lance sur le fleuve la voix de Caruso et la musique de Verdi. C'est une fiction mais sans anachronisme : si Nelson Goodyear avait inventé le matériau dès 1851, les premiers disques en ébonite furent gravés en 1895, deux ans avant la mort de Carlos Fitzcarrald, dont on ne sait s'il fut jamais mélomane.

avec Werner

J'ai bu du masato jusqu'à ce que je trouve ça bon.

HERZOG, *Conquête de l'inutile*

Vingt-quatre ans après le tournage, il reprend son journal de l'époque, le complète, et décide de le rendre public. Ce livre, qui m'avait été offert par Véronique des années plus tôt comme l'éloge de l'obstination, un manuel de survie qu'il convient d'ouvrir lorsque l'adversité trop forte vous amènerait à baisser les bras, je l'avais apporté pour le relire sur les lieux. Avec Pierre nous en tournions les pages à tour de rôle. Nous étions de retour à Iquitos et à quai sur le río Nanay, près d'une canonnière à coque métallique noire de l'armée péruvienne, de l'autre côté des chantiers navals de la SIMAI – Servicio Industrial de la Marina Iquitos.

Sur cette rive où se tient le marché de Bellavista, nous suivions l'auteur du journal au long des étals, où de petits caïmans écartelés cuisaient à la braise : « Au marché, j'ai mangé un singe grillé qui ressemblait à un enfant nu. » Des vautours attendaient les restes près de l'embarcadère lorsque nous avions traversé le río, pour gagner la gare fluviale, et sa jonction par escaliers avec la gare routière. À quelques kilomètres, au sud d'Iquitos, sur le río Itaya, les maisons flottantes du quartier excentré de Belén reposaient sur la vase, baraques en bois aux toits de tôle ondulée que reliaient entre elles des passerelles. Par la magie du montage cinématographique, on imagine Klaus Kinski et Claudia Cardinale descendre ici de la pirogue, sur les pontons glissants de Belén, avancer en équilibre sur les planches – cut – et monter l'escalier de l'opéra de Manaus. L'année du tournage, c'était encore la dictature militaire au Brésil : le théâtre Amazonas est badigeonné de bleu caserne.

Le journal, comme le projet du film, commence le 16 juin 1979 dans la maison de Francis Ford Coppola à San Francisco. Celui-là vient de se voir remettre à Cannes la Palme d'or pour *Apocalypse Now* inspiré de la nouvelle de Conrad. Sept ans après la sortie d'*Aguirre*, Herzog lui présente son deuxième sujet amazonien, l'ascension de la colline par un navire, les crues des fleuves, les rêves d'opéra, la brume. Ce sont deux cinéastes des brumes sur l'eau. L'une des plus belles scènes du film vietnamien est l'arrivée chez les planteurs français au bord du Mékong nappé de brouillards. *Fitzcarraldo* est plus ambitieux qu'*Aguirre*, lequel avait été tourné en cinq semaines, avec une équipe réduite et en caméra à l'épaule. Herzog ne veut ni studio ni maquettes, il compte passer des mois sur place, réitérer l'exploit de Carlos Fitzcarrald et le filmer, sous les ciels nuageux de l'Amazonie. Il y aura des morts.

Lorsqu'il relit ces pages longtemps après, il les intitule *Eroberung des Nutzlosen / Conquête de l'inutile*. Il lui semble qu'il restera davantage que le film, ce récit de l'entreprise impossible et catastrophique, des échecs, de l'acharnement à franchir l'obstacle de la production comme celui de la colline à gravir. Il choisit pour les rôles principaux Jason Robards et Claudia Cardinale, lesquels étaient ensemble au générique d'*Il était une fois dans l'Ouest*. De retour au Pérou, il contacte les tribus indiennes, recrute des figurants, négocie avec les autorités nationales et locales, achète et fait équiper deux navires identiques, du type de ceux des barons du caoutchouc, s'installe dans une baraque sur pilotis à Belén, muni d'un poste émetteur-récepteur à ondes courtes, et d'une moto pour rejoindre la place d'Armes par la longue rue Ramírez-Hurtado.

Depuis ce quartier général, il est en contact radio avec plusieurs campements qu'il rejoint en navire ou en avionnette, engage marins, bûcherons, terrassiers, infirmiers. Dès juillet 1979, il est en repérage dans le nord et emplit ses carnets. « Un soldat mort est arrivé sur le río Santiago, rejeté par le courant, flottant sur le dos, boursouflé [...] » Le Santiago est un affluent du Marañón et descend depuis la cordillère équatorienne. « Un lieutenant de l'armée péruvienne stationné dans un poste avancé sur le río Santiago a sombré dans la démence. Il a déclaré la guerre à l'Équateur et attaqué de son propre chef avec vingt-quatre soldats. Il a réalisé une percée en territoire ennemi de plus de trente kilomètres sur le cours supérieur du fleuve, et il semble qu'il ait fallu des efforts incroyables pour aller le rechercher. »

Ce Kurtz conradien perdu au cœur des ténèbres voulait relancer la guerre sempiternelle entre les deux pays, après le conflit de 1860, après celui de 1941, lorsque le Pérou avait profité du désordre du monde pour envahir à nouveau son voisin, au moment où l'Allemagne attaquait l'Union soviétique et bientôt le Japon les États-Unis. Lorsqu'il écrit ces phrases, en ce même mois de juillet 1979 la révolution sandiniste prend le pouvoir à Managua, la République islamique a été instaurée à Téhéran. En Amazonie on est loin de tout ça. « La ville d'Iquitos, bien que coupée de tout réseau routier, ne se soucie absolument pas de l'océan de jungle qui l'enserre. »

Ce journal que nous parcourions, davantage encore que les événements que nous vivions ensemble, nous en avions forcément une perception différente, parce que toutes les dates mentionnées étaient antérieures à la naissance de Pierre, quand je ne pouvais les lire sans retrouver comment, de mon côté, je les avais occupées, ces journées. Ainsi le 14 juillet 1980 : « J'ai écrit des lettres, notamment une longue pour mon jeune fils. J'écris toujours avec la quasi-certitude qu'aucune d'elles n'arrivera. » Ainsi l'état des moyens de communication qui semblaient alors dater de Pavie ou de Rondon, dans un monde d'avant la téléphonie mobile et l'Internet : « Il est presque impossible de joindre l'Europe par téléphone, j'ai récemment essayé en vain d'obtenir une liaison pendant quarante-huit heures. » Confronté à la même situation dans le golfe Persique où je vivais alors, je me revoyais assis pendant des heures devant un lourd appareil muet à cadran circulaire. Ainsi : « Notre télex a rendu l'âme ce matin », machine qui déjà nécessi-terait une note en bas de page.

Le 15 décembre 1980, il est à New York pour signer le contrat de Mick Jagger, il passe non loin de l'immeuble devant lequel John Lennon a été abattu une semaine plus tôt, assassinat que je me souvenais d'avoir appris chez un marchand de cassettes de musique au souk de Mascate. Herzog assiste au rassemblement : « L'ampleur de cet authentique désarroi m'a impressionné, même si la manifestation était assombrie par toutes les conneries reliées au chanteur : des joints tournaient, il y avait des affiches de gourous et de vagues revendications de paix. Quelle paix ? Où ? Une jeune femme vêtue en paléohippie tenait une banderole : "All he said is 'Give peace a chance'" ».

Jagger jouera Wilbur, le second de Fitzcarraldo. Il débarque à Iquitos avec Jerry Hall. Il a signé un contrat avec *Vogue* pour la photographier dans la jungle. Pendant quelques jours, il fait le chauffeur pour l'équipe, puis tous partent pour le tournage sur le fleuve. « Mick a été mordu à l'épaule par un singe pendant la scène et il s'est mis à rire de façon tellement retentissante qu'on aurait dit un âne qui criait. À chaque pause, il me distrait avec des discours intelligents sur les dialectes anglais, et l'évolution de la langue depuis le bas Moyen Âge. » Si Jagger est enthousiaste et chaleureux, il n'en va pas de même avec la star, le premier rôle, Jason Robards, qui multiplie les caprices, exige du bifteck importé ou de l'eau minérale, finalement claque la porte de sa hutte, et rentre aux États-Unis.

Le projet est interrompu, toutes les scènes déjà jouées sont inutilisables. Dans sa folle obstination, Herzog imagine reprendre lui-même le rôle de Fitzcarraldo, puis se résout à contacter Kinski. Le temps que les contrats soient établis, Jagger doit rejoindre une tournée du groupe. Herzog, qui ne veut pas le remplacer, modifie le scénario, supprime son rôle. Il sait ce qui l'attend. Les reportages filmés pendant le tournage d'*Aguirre* sept ans plus tôt montrent Kinski l'attaquant à la machette. Les deux hommes s'étaient mutuellement menacés de mort. Herzog est un adepte du saut à ski. Il ferme les yeux, éprouve la sensation de l'apesanteur, les bras collés le long du corps, dans la neige et la glace, loin de la jungle, retrouve son calme.

Le lendemain du 10 mai 1981, Jacob, Indien de Pondi-chéry et concierge de l'ambassade, m'avait accueilli avec le sourire et à bras ouverts, convaincu que l'élection de ce président de gauche, qu'il m'apprenait, allait bouleverser nos vies et nous faire grimper les étages vers de plus hautes fonctions. Indifférent à la vie politique française, Herzog est ce jour-là à Pucallpa. Avec le capitaine du navire et le chef opérateur Thomas Mauch, ils passent la soirée avec un filou belge, ancien consul à Iquitos, mêlé aux trafics des cartels. « Marcel a en tout cas détourné plusieurs millions, et c'est la raison pour laquelle il a louvoyé vers Pucallpa. »

C'est aussi ce que recherche Herzog, la vie glauque, la vie rugueuse à étreindre, la sauvagerie, la violence, l'épuise-ment, comme avant lui les explorateurs et les conqué-rants. Il est un homme européen de la deuxième moitié du vingtième siècle confronté à la vie immémoriale. Après qu'une pirogue a chaviré, qu'un Indien figurant a disparu, « le conseil des anciens a désigné un nouveau mari pour la veuve du noyé. La forêt vierge n'autorise pas le veuvage. Le mariage a eu lieu dans le bureau du camp des Ashaninka, où notre radio grésillait et couinait. La mariée, âgée d'environ quinze ans, ne semblait absolument pas se sentir concernée ».

Il consigne les croyances machistes en vigueur : un gros insecte inconnu a été capturé près du campement, et « Segundo m'a révélé dans un murmure que sa morsure était mortelle. D'après lui il y en avait beaucoup plus du temps de l'âge d'or du caoutchouc, et le seul remède pour éviter une mort certaine était de s'accoupler violemment avec une femme. C'est ainsi qu'il y a cent ans, alors qu'il y avait tant d'ouvriers et si peu de femmes en forêt, il y aurait eu un accord tacite selon lequel les maris consentaient à prêter leur femme. La plupart de ceux qui avaient été mordus auraient survécu ainsi ».

La nuit les hommes boivent le masato, alcool de racines de manioc fermenté à la salive, s'enivrent, et cherchent le rapport archaïque des sexes : « Brutalement, comme dans un monde sans lendemain, les hommes qui s'étaient saoulés se sont mis en chasse d'une femme pour la nuit, pendant que les moustiques, animés par un principe tout aussi brutal, se moquaient de savoir qui était saoul, qui était vivant et qui était mort. »

sirènes & amazones

Quand tu aimes il faut partir
Ne larmoie pas en souriant
Ne te niche pas entre deux seins
Respire marche pars va-t'en

CENDRARS, *Feuilles de route*

Lorsqu'ils en viennent à tourner la scène des rapides, le long navire en fer est drossé vers les roches et s'écrase contre la falaise. Sous le choc tout est culbuté à bord et Thomas Mauch, qui filmait les mouvements affolés de Kinski, est écrasé sous sa caméra. Un infirmier lui recoud la main, mais à terre il faut l'opérer. Le médecin du tournage a épuisé ses réserves d'anesthésiants. Tous entourent le blessé qui hurle. « Suivant une inspiration, j'ai fini par faire appeler Carmen, une des deux prostituées que nous avons ici à cause des gardes forestiers et des marins. Elle m'a écarté, a enseveli la tête de Mauch entre ses seins et l'a consolé d'une voix douce. Elle a dépassé sa condition pour devenir une pietà immanente, et Mauch est vite redevenu silencieux. Elle lui a susurré "Thomas, *mi amor*", encore et encore, durant les deux heures qu'a duré l'opération [...] »

Chez Gaspar de Carvajal, les amazones ont deux seins, comme Carmen, contrairement aux mythes antiques de l'amputation pour mieux bander l'arc. C'est lui qui n'a qu'un œil. Sans doute la troupe, lors de la grande descente, avait croisé certaines tribus des Indiens Tapuya dans lesquelles les guerrières combattaient en avant des hommes. Le dominicain est le plus cultivé du bord. Il choisit ce nom que prendra le fleuve. On se réconforte en ramenant l'étrange inconnu aux croyances de sa propre tribu. Quant aux trois sirènes que Colomb écrit avoir croisées, témoignage corroboré par de nombreux marins sur tous les océans, la probabilité est grande qu'il s'agissait de lamantins, dont la femelle allaitante développe une hypertrophie des glandes mammaires propre à enflammer l'imagination de ces hommes dans leur impatience et leur frustration.

Peu de femmes apparaissaient dans ces récits que je compulsais, aucune sur le brigantin d'Orellana. Celles qu'on croisait ailleurs étaient souvent des victimes, la maîtresse d'Ursúa et la fille d'Aguirre, la mère de Raymond Maufrais, seule dans la chambre du fils qui ne reviendra pas. La seule héroïne était Maria Bonita, la bonne gâchette, sans doute aussi Juana Sánchez, qui sut se venger des humiliations que lui avait infligées Mariano Melgarejo, peut-être encore Charlotte Altmann, qui but le poison par amour. Les autres étaient souvent ramenées à leur existence physiologique et à la maternité, à ces seins qui en sont le symbole, à la fois fierté et calamité.

S'agissant de ces seins, par un curieux paradoxe, alors qu'en ce vingt et unième siècle, si longtemps après Darwin, progressait dans l'espèce humaine évoluée l'acceptation d'appartenir au règne animal, de substituer au concept cartésien de l'« animal-machine » celui des « animaux non-humains », de revendiquer son appartenance au groupe des mammifères, dans cette humanité évoluée le sein devenait un organe seulement esthétique et érotique, sublimé par la lingerie ou la prothèse, dans le désir peut-être de voir apparaître au plus vite de nouvelles manières de faire advenir les humains, de nier en nous l'animalité, de séparer à jamais la sexualité de la procréation, d'en finir avec la légende de l'instinct maternel comme de l'instinct paternel.

Lors du bouleversement des mœurs qui avait en France suivi Mai 68, les femmes allaient à la plage les seins nus. La vision de cette particularité anatomique était bouleversante pour l'enfant que j'étais, qui n'en avait jamais vu un seul, de ces seins, pas même en photographie, sans parler du cinéma, enfant qui, selon le terme médical alors en vigueur, après que déjà on avait dû l'extraire au forceps, avait « refusé le sein », et qu'il avait fallu le biberonner. Pierre à son tour avait rejeté cette pratique ancestrale. Florence s'était munie de cet appareil que les pharmaciens appelaient tire-lait, afin que tout de même il découvrît le liquide nourricier.

Le 22 mars 2018, cinquante ans jour pour jour après le déclenchement de ces événements de 1968 à l'université de Nanterre, sans qu'elle prêtât sans doute attention à cette éphéméride, ma mère avait subi l'ablation de l'un de ces seins que j'avais refusés, ces seins que mon père, mort depuis près de vingt ans déjà, avait dû rêver de découvrir pendant les longs mois que duraient alors les fiançailles. Après que je m'étais demandé comment nous aurions survécu, Pierre et moi, dans une tribu d'avant l'invention du biberon – un chaman aurait-il conseillé de nous abandonner aux fourmis dans la forêt ? –, en enquêtant sur l'enfance mexicaine du muraliste Diego Rivera, j'avais lu qu'il prétendait avoir tété en alternance une chèvre et une nourrice indienne. J'y voyais la preuve d'une mégalomanie dont il était coutumier, la mythologie personnelle d'avoir été allaité sous la chèvre comme les deux Romains le furent sous la louve.

Feuilletant ma bibliothèque de bord, j'avais cependant trouvé cette occurrence dans les *Essais* : « Et si j'ai parlé des chèvres, c'est parce qu'il est habituel autour de chez moi de voir les paysannes, lorsqu'elles ne peuvent nourrir leurs enfants au sein, appeler les chèvres à leur secours ; j'ai actuellement à mon service deux laquais qui ne tétèrent pas plus de huit jours du lait de femme. Ces chèvres sont immédiatement accoutumées à venir allaiter ces petits enfants ; elles reconnaissent leur voix quand ils crient et accourent auprès d'eux ; si on leur présente un autre que leur nourrisson elles le refusent ; et l'enfant en fait de même pour une autre chèvre. »

À l'inverse, Herzog notait dans son journal qu'une « femme du voisinage, dont le fils est mort d'une infection due à un parasite, allaite un chiot qui vient de naître, j'ai déjà vu la même chose avec des porcelets ». Avant lui, Alain Gheerbrant, alors qu'il séjourne dans la tribu des Indiens Guaharibo, lesquels vivent de cueillette, et n'ont pas développé d'agriculture, écrit que les femmes, « n'ayant pas de plantations à cultiver, passaient le plus clair de leurs jours dans leurs hamacs, à jouer avec les enfants et les petits animaux qui les entouraient, et avec leurs seins dont elles partagent généreusement le lait entre tout ce qui est petit. Nous vîmes ainsi plusieurs fois un bébé d'homme partager sa tétée avec un bébé de chien, ou deux petits singes, rapportés par les chasseurs, prendre la place de deux enfants sur la poitrine d'une femme, tandis que les fillettes de la tribu essayaient vainement d'imiter leurs mères en tendant leurs petits seins à leurs frères ou à leurs cousins ».

Lors d'un séjour plus ancien au Brésil, j'avais lu dans les journaux des articles sur la révolte des Indiens qui coupaient la route de Pacaraima, très au nord de Manaus et de chez Takashi, au-delà de Boa Vista. Leur réserve, la Raposa, de près de deux millions d'hectares, était grignotée sur ses bords par la riziculture et la déforestation. C'était du temps de Lula, et la situation devrait empirer avec Bolsonaro. Sur les photographies, devant ces centaines d'Indiens en colère, l'armée fédérale faisait face dans la fournaise, casques et gilets pare-balles non-réfrigérés, devant les lances et les arcs brandis. Les Indiens étaient le torse nu, colorés et emplumés, le visage peint au rocou. Les Indiennes aussi, mais elles portaient des soutiens-gorge blancs, résultat d'une honte inculquée par l'Église peut-être, plutôt que par décence, ou volonté ne pas trop exciter les soldats, et je songeais que l'effet était inverse, de les voir ainsi en petite tenue.

Pierre & Roger

Un qui s'en foutait un peu, semble-t-il, des seins des femmes, et jamais ne devint père, c'est Casement.

Pour qui a le goût de voir l'Histoire imposée à la Géographie, le temps inscrit dans l'espace, la lecture du plan des villes est un livre ouvert : à Iquitos, non loin de l'hôtel Europa, les rues Fitzcarrald et Aguirre sont parallèles. Cette dernière mène à la place du 28-Juillet, quand la rue Fitzcarrald croise la rue Ucayali et, plus loin, devient parallèle de la rue La Condamine, qui fut le premier scientifique à descendre l'Amazone, à dépasser ce croisement des ríos où n'était toujours pas Iquitos, deux siècles après le passage d'Orellana. On conçoit qu'aucune rue ne rend ici hommage à Roger Casement, ni à Pierre Savorgnan de Brazza, ce dernier parce qu'il y est inconnu, l'autre parce qu'il provoqua la faillite des Iquiténiens.

La vie de ces deux-là fut bouleversée par le caoutchouc, dont ils ne récoltèrent cependant pas un gramme.

L'explorateur qui avait pris Stanley de vitesse, fondé au bord du Congo la ville qui porte toujours son nom, avait été mis à l'écart pour s'être opposé aux visées des compagnies coloniales. Il s'était retiré à Alger, avait obtenu de mener en 1905 une mission d'inspection des abus commis par celles-ci, le retour dissimulé de l'esclavage, les populations asservies, contraintes au portage et à la récolte de la liane landolphia qui est l'équivalent africain de l'hévéa. Brazza était mort sur le chemin du retour, avant de pouvoir publier son rapport, qu'on avait enterré. Lorsqu'en 2006 j'avais suivi sa trace sur l'Ogooué et le Congo, j'avais vainement tenté d'exhumer celui-ci, de rapport, m'étais adressé au service des archives coloniales. J'avais mal cherché. Ce dossier poussiéreux, oublié sur quelque rayonnage, l'historienne Catherine Coquery-Vidrovitch allait le publier en 2014.

Né Pietro Savorgnan di Brazzà en Italie, fils d'un artiste voyageur, il avait francisé son prénom après son admission à l'École navale de Brest. Roger Casement est plus jeune de douze ans. Il naît à Dublin en 1864. Son père était officier des Indes, avait combattu en Afghanistan, participé au Great Game, était mort. Le fils admire le pacifique missionnaire Livingstone. C'est aussi le cas de Brazza, et plus tard de Yersin, et de Pasteur qui s'en ira rencontrer sa fille à Édimbourg. Casement ne choisit ni l'Église ni la Marine.

Orphelin pauvre, il est à seize ans employé de bureau à Liverpool, recruté par la compagnie Elder Dempster Line. Il accompagne plusieurs fois des cargaisons vers l'Afrique. C'est un jeune homme volontaire qui a le goût de l'aventure et des horizons lointains. Le voilà à vingt ans agent de fret à Boma dans le Bas-Congo. Il organise le transport du *Florida* par terre de l'embouchure du Congo au Stanley-Pool, des centaines de caisses convoyées sur près de cinq cents kilomètres à travers les monts de Cristal. En 1884, il accompagne une mission de Stanley qui ouvre des comptoirs commerciaux le long du fleuve pour le roi Léopold. En 1885, la Conférence de Berlin partage l'Afrique entre les puissances coloniales. Casement est contremaître sur le chantier du chemin de fer de Boma à Léopoldville. Il semble qu'il pensait encore que l'Europe venait en Afrique sauver les vies et les âmes, accomplir sa mission civilisatrice. Il intègre la diplomatie.

Après qu'il a rempli les missions d'un consul de Grande-Bretagne en divers endroits, on l'envoie de nouveau à Boma. En juin 1890, il rencontre à Matadi le marin polonais Teodor Korzeniowski, lequel deviendra l'écrivain anglais Joseph Conrad. Celui-là comme Brazza est capitaine au long cours. En ce même mois de juin, ces deux capitaines embarquent chacun à bord d'un vapeur pour remonter le Congo, Brazza depuis Brazzaville à bord du *Courbet*, Conrad depuis Léopoldville en face à bord du *Roi des Belges*. Les deux vapeurs font route commune jusqu'à la confluence de l'Oubangui, après quoi Brazza s'en va cartographier la rivière Sangha. Le *Roi des Belges* poursuit vers Stanleyville, devenue Kisangani.

Conrad découvre la réalité coloniale, écrit une première nouvelle, *Un avant-poste du progrès*, plus tard *Au cœur des ténèbres*, crée le personnage du monstrueux Kurtz perdu dans les jungles et dans la démence, décrit « L'horreur ! L'horreur ! » Casement et Conrad resteront proches, plus tard passeront ensemble des week-ends chez l'écrivain dans sa maison du Kent. Ils savent la terrible réalité. Les dénonciations des exactions commencent à affluer. On confie une mission d'inspection au consul de Grande-Bretagne.

À bord du vapeur *Henry Reed*, Casement remonte à son tour le Congo. De juin à septembre 1903, il visite les rives malgré l'opposition des autorités locales, consigne les abus commis par la Force publique du Congo belge, les femmes et les enfants séquestrés jusqu'à la livraison du quota de caoutchouc par les hommes, les mutilations, les mains coupées, les chaînes, les viols, les villages incendiés dont les habitants ont fui dans la forêt. À la différence de celui de Brazza, son rapport sur le Congo est rendu public. Il devient l'homme le plus détesté du roi des Belges. Il commence aussi à établir un parallèle avec le colonialisme britannique en Irlande, se rapproche de la Gaelic League et du Sinn Féin. Brazza de son côté achève sa mission d'inspection en septembre 1905, embarque malade pour la France avec son rapport, meurt à l'escale de Dakar, peut-être empoisonné par les Compagnies. Son rapport disparaît. Il a cinquante-trois ans. Casement en a quarante et un. Il lui reste un peu plus de dix ans à vivre.

au Putumayo

La vie est devenue trop dangereuse en Afrique pour ce diplomate. On l'envoie au Brésil, consul à Santos, puis consul général à Rio. La malédiction du caoutchouc le poursuit. Des dénonciations parviennent jusqu'à la capitale, les descriptions de monstrueux abus. Nombre des entreprises d'exploitation de l'hévéa sont de droit britannique et cotées à la Bourse de Londres. Le Foreing Office envoie en Amazonie son consul général à la tête d'une commission d'enquête. Celle-ci gagne Belém, Santarém, Manaus, atteint Iquitos. C'est plus de dix ans après la noyade de Carlos Fitzcarrald et d'Antonio Vaca Diez. Le nouveau baron du caoutchouc est Julio César Arana, aux commandes de la Peruvian Amazon Company.

Lorsque les Anglais débarquent au port fluvial, en août 1910, Iquitos est plus éloignée de Lima que de New York et de Londres. La ville de plus en plus riche échappe au contrôle du gouvernement péruvien. Les salaires des fonctionnaires, des policiers et des magistrats sont payés par la Compagnie. Les journalistes qui ont enquêté sur le caoutchouc ont été assassinés ou ont disparu. Un siècle après le passage de Casement, Mario Vargas Llosa imagine son arrivée dans le roman *El sueño del Celta* / *Le Rêve du*

Celte : « Roger rentra très lentement, sans regarder ce qui se passait dans les bars et les bordels d'où sortaient des cris, des chants, des airs de guitare. Il pensait à ces enfants arrachés à leur tribu, séparés de leur famille, jetés comme de la marchandise au fond d'une pirogue, amenés à Iquitos, vendus pour vingt ou trente soles à une famille où ils passeraient leur vie à balayer, frotter, cuisiner, nettoyer les chiottes, laver le linge sale, insultés, battus et parfois violés par le patron ou les fils du patron. Toujours la même histoire. »

Sans espoir de collecter à Iquitos des preuves ou des témoignages, la mission redescend l'Amazone vers la frontière du Brésil, à Tabatinga, s'engage sur le Yavari pour repasser au Pérou et monter vers le Putumayo, au nord-ouest, en direction de la cordillère des Andes et de l'Équateur et de la Colombie. À mesure que le cours se resserre ce sont des paysages presque congolais, caïmans et singes. Autrefois, lorsque les premiers colons voulaient occuper les terres des Indiens, ils récupéraient dans les hôpitaux les vêtements des morts de la variole et les accrochaient aux arbres au milieu de cadeaux. En ce moment de l'apogée du caoutchouc, ils sont une main-d'œuvre indispensable et qui se raréfie.

Dans les campements des seringueiros, Casement voit des Indiens marqués au feu ou au couteau, sur les fesses ou dans le dos, des lettres CA pour Casa Arana, afin d'éviter que les caoutchoutiers colombiens ne les volent. L'esclavage est aboli mais les juges les plus proches sont à Iquitos et corrompus par la Compagnie. Casement voit le cep, les chaînes pour punir les rebelles. C'est à nouveau le Congo. « L'horreur ! L'horreur ! » Il inspecte plusieurs postes de collecte, Entre Ríos, Atenas, Sur, La Chorrera, emplit ses carnets, les dissimule dans son paquetage comme Brazza dissimulait le sien dans son bagage à double fond, près de son revolver. Ces notes vont ruiner les barons du caoutchouc plus sûrement encore que le voleur de graines.

La mission poursuit sa navigation, autour d'elle la jungle défile, papillons et perroquets, les fleurs et l'enfer. Lorsqu'il ferme les yeux, Casement imagine peut-être les vertes prairies et les moutons, son enfance dublinoise. Les Irlandais comme les Indiens Huitoto, Bora, Andoque, Muimane, colonisés et asservis par l'Empire britannique. Au bout de six mois il rédige son rapport, le *Blue Book*. Il estime qu'en cinq ans, la population indigène du Putumayo est passée de cinquante mille à moins de huit mille, calcule une moyenne de sept morts par tonne de caoutchouc produite, établit une liste nominative des responsables à traduire en justice. À la lecture de ce rapport, Julio César Arana feint de découvrir avec étonnement les exactions commises sur le terrain et remercie Casement. Il vit depuis si longtemps entre Londres et Genève. Dès cette année 1911, le Brésil crée le Service de protection des Indiens, à l'initiative de Cândido Rondon.

En honneur des deux missions humanitaires menées dans les bassins du Congo et de l'Amazonie, Roger Casement est anobli par le roi George V, envoyé à Washington. Le président William Taft apporte son soutien à l'Empire britannique et se joint aux pressions exercées sur le gouvernement péruvien pour condamner les coupables. À la Bourse de Londres les actions de la Peruvian Amazon Company dégringolent. La Lloyd's s'inquiète. La compagnie exploite la forêt sur un droit d'occupation mais sans aucun titre foncier. Un an plus tard, Casement est de retour à Iquitos, constate qu'aucun jugement n'a été rendu, que les accusés n'ont pas été arrêtés. Il veut retourner au Putumayo. On le lui interdit. Il reçoit des menaces de mort.

À Londres, une commission d'enquête parlementaire veut entendre Julio César Arana. Il dépose en mars 1912 devant la Chambre. C'est le récit habituel de la vie d'un aventurier. Pour cent qui meurent dans la jungle un qui devient millionnaire. Devant les lords anglais, qui se sont enrichis avec son caoutchouc sans mettre un pied en Amazonie, sans se soucier jusqu'à présent du parcours de la gomme depuis le tronc de l'hévéa jusqu'aux pneus de leur Rolls, il dit sa vie de fils de rien, ses débuts de marchand de chapeaux ambulant. Il semble accepter sa ruine comme il avait accueilli la fortune, vend ses maisons de Londres, de Biarritz et de Genève, rentre au Pérou.

À Iquitos tout s'écroule. Le consul anglais informe son collègue Casement de la fermeture des hôtels, des restaurants, des bordels, des boutiques de luxe qui importaient depuis Paris et New York le champagne, le whisky et le cognac. La Booth Line interrompt sa desserte fluviale. Iquitos retourne en 1860. La Compagnie ferme ses bureaux, puis ceux de Manaus en juillet 1914. Le 4 août, le Royaume-Uni déclare la guerre à l'Allemagne. Le 15 août, le canal de Panama est inauguré. L'ouverture à la navigation de ce canal, jointe à la déclaration de guerre et à la ruine des compagnies amazoniennes, est une aubaine pour les exportateurs du caoutchouc de plantation qui depuis Singapour, la Malaisie, Java, Sumatra, vont envoyer à travers le Pacifique leur récolte vers l'Europe et ses industries d'armement.

Après son retour, Julio César Arana, le baron déchu, entame une longue carrière politique. Il est élu sénateur d'Iquitos. Il survivra aux deux guerres mondiales loin des conflits, s'éteindra paisiblement dans les beaux quartiers de Lima, à Magdalena del Mar, à quatre-vingt-huit ans, en 1952. Le justicier Roger Casement a depuis longtemps été pendu. Cette année-là, sa dépouille est encore dans le cimetière londonien de la prison de Pentonville.

Pour avoir pris à la lettre le proverbe nationaliste selon lequel les malheurs de l'Angleterre font le bonheur de l'Irlande, il a poussé loin le patriotisme. Par une coïncidence de date, il prononce lors d'un meeting un vibrant appel à l'indépendance le 28 juin 1914 pendant l'attentat de Sarajevo. Après la déclaration de guerre il est à Berlin. Le 20 novembre, l'Allemagne déclare soutenir l'indépendance de l'Irlande. Casement se rend sur le front, vers Charleville, puis à Munich, dans le camp de Limburg : il s'adresse aux prisonniers de guerre irlandais dans le but de constituer une brigade de deux mille hommes, dont il dessine les insignes et les uniformes. Ce corps de supplétifs pourrait combattre auprès des Turcs contre les Anglais en Égypte, auprès des nationalistes en Inde contre le Raj.

Le 12 avril 1916, un navire allemand livre en Irlande vingt mille fusils et dix mitrailleuses. Par manque d'organisation, le soulèvement de Pâques lancé trop tôt, avant réception de cet arsenal, est un échec, les combattants sont tués au combat ou fusillés. Le 21 avril 1916, Casement débarque sur une plage irlandaise du sous-marin U-19. Il est aussitôt capturé, envoyé à Londres. Dès la fin juin son procès pour trahison s'ouvre à Old Bailey. Le 1er juillet c'est le déclenchement de la bataille de la Somme, dans laquelle combattra l'officier Percy Fawcett, et mourra l'officier Valentine Fleming, le père de Peter. En cette seule journée, près de vingt mille Anglais sont tués. Les temps ne sont pas à la clémence pour les traîtres.

Roger Casement est condamné à mort. Son avocat dépose un recours. Une pétition demande sa grâce. Qu'on le couvre d'opprobre et lui laisse la vie en vertu des services rendus. Parfois les morts sont plus encombrants que les prisonniers, et peuvent devenir des saints légendaires. Afin de discréditer à jamais le diplomate, après le *Blue Book* c'est le scandale des *Black Diaries* trouvés lors des perquisitions. Tout au long de sa vie, Sir Roger Casement aurait consigné dans des carnets la description et la dimension du sexe en érection de ses partenaires. Ses défenseurs prétendront qu'il s'agit de fantasmes, d'un goût pour la coprolalie, d'une œuvre littéraire en somme de pure fiction. Pour ses accusateurs, qu'un représentant de l'Empire britannique pût passer son temps à mesurer des bites de Nègres était le signe d'une tare qui pouvait dégénérer en amour des Allemands. Si Oscar Wilde, comme lui irlandais, avait écopé vingt ans plus tôt de deux ans de travaux forcés pour homosexualité, la peine capitale est appliquée pour Roger Casement, son recours rejeté le 2 août. Il est pendu le lendemain.

C'est dans sa cellule de la prison de Mons que Paul Verlaine avait subi de son vivant l'auscultation pour crime sodomite. Elle sera post-mortem pour Casement. Le médecin légiste chargé de la dépouille descendue du gibet décrira un anus distendu ainsi que le côlon en profondeur. Qu'il le fût ou non, la distension d'icelui était de nature à détourner du héros les puritains catholiques irlandais. On continuera cependant à mettre en doute l'authenticité des Carnets noirs. En 1965, les restes de Casement, qu'on descend d'un avion militaire, sont accueillis avec les honneurs à Dublin pour y être ensevelis.

C'est surtout qu'il est dans l'*Ulysse* de Joyce, qui est un plus beau tombeau.

à bord

À la sortie d'Iquitos vers le sud, un grand carré de forêt préservée accueillait un centre de sauvetage et de réhabilitation d'animaux blessés, ou libérés des trafiquants. Ceux-ci étaient ensuite relâchés dans la jungle ou les rivières. Lorsque nous nous y étions rendus, parmi les éclopés se voyaient singes et ocelots, loutres, tortues, perroquets, ainsi que des lamantins aussi mal partis dans leur ensemble que les sirènes, et comme elles en voie de disparition, victimes de la pollution des eaux par le pétrole des puits et le mercure des mines, et lorsqu'ils survivaient à ces conditions difficiles souvent boulottés par les Indiens, qui s'empoisonnaient à leur tour.

L'entreprise paraissait à la fois louable et dérisoire face à l'ampleur de la catastrophe. Elle présentait cependant la vertu de recevoir les enfants des écoles : sans aller jusqu'à faire de ceux-ci des végétariens ou des jaïnistes, elle offrait de les rendre plus attentifs à la beauté de toutes ces bestioles, au regard du singe si fraternel. Il ne serait pas inutile de distribuer à ces enfants copie de la Déclaration de Cambridge, signée en juillet 2012 par les plus éminents neurobiologistes, déclaration selon laquelle « des données convergentes indiquent que les animaux non-humains possèdent les substrats neuro-anatomiques, neurochimiques et neurophysiologiques des états conscients, ainsi que la capacité de se livrer à des comportements intentionnels ». Bien sûr il conviendrait de mettre le texte à leur niveau. « Des animaux non-humains, notamment l'ensemble des mammifères et des oiseaux, ainsi que de nombreuses autres espèces, telles que les pieuvres, possèdent également ces substrats neurologiques. » L'idée peu à peu se répandait que ces animaux non-humains étaient des « êtres vivants doués de sensibilité », léger progrès que les éleveurs de bétail, et peut-être même les paisibles pêcheurs à la ligne, voyaient déjà, cependant, d'un œil suspicieux.

Alors que nous nous apprêtions à quitter cette ville dans laquelle tout, pour nous deux, était découverte, Pierre continuait de l'arpenter, plus vaillant et plus curieux, meilleur marcheur surtout. Il avait ainsi repéré qu'une petite compagnie assurait une liaison par hydravion avec Pucallpa, où Herzog passait ses soirées avec le consul belge en fuite. Il avait aussi découvert un vieux navire à quai dont il me faisait la description, sister-ship de celui de Fitzcarraldo. Un matin tôt nous en avions emprunté l'échelle de coupée. Personne n'était à bord du bateau fantôme dont nous parcourions les ponts. Une plaque indiquait que le vapeur *Ayapua* portait le nom d'un lac de l'Amazonie brésilienne, qu'il avait été construit par les chantiers navals de Hambourg en 1906, mis en service en 1910 sur la ligne commerciale Belém-Iquitos. La mission d'enquête de Roger Casement l'avait peut-être emprunté en cette année de son inauguration. Il présentait les qualités de confort et de luxe qui convenaient au voyage d'un diplomate britannique. Tout y était de cuivre et de bois verni.

Ce cargo mixte, dévolu au transport des balles de caoutchouc et de diverses marchandises, convoyant ses passagers
vers l'Atlantique ou à leur retour en Amazonie, avait
accompli sa besogne tout au long du vingtième siècle, avait
été retiré du service au début des années deux mille, racheté
par un Anglais, Richard Bodmer, remis à flot au Brésil et
amené à Iquitos. Radoubé, il avait conduit des missions
scientifiques sur l'Ucayali, dans la réserve de Pacaya, de
2006 à 2013, était à quai depuis 2014. Je me demandais
si ce Bodmer était un descendant du peintre des Indiens
d'Amérique du Nord, Karl Bodmer, né suisse et membre
de l'École de Barbizon, ou de Martin Bodmer, fondateur
de la Bibliotheca Bodmeriana de Genève. Alors que nous
nous apprêtions à descendre, nous avions accueilli à bord
le gardien ensommeillé, lequel avait déverrouillé pour nous
le rouf et les cabines.

D'un coup et de manière vertigineuse, comme si le
navire brusquement s'était éloigné du quai et prenait la
bourrasque, j'étais devant toutes les histoires et tous les
personnages que je transportais : aux murs étaient accro-
chées des photographies en noir et blanc prises par Roger
Casement et d'autres par Julio César Arana. Dans la bibliothèque se côtoyaient les éditions de la relation du voyage
de La Condamine au dix-huitième siècle, de l'ouvrage
de Wickham le voleur de graines au dix-neuvième, un
exemplaire du *Blue Book* de Casement paru au début
du vingtième. Je consignais dans un carnet l'inventaire
fabuleux du trésor flottant. Se voyaient encore un portrait
gravé d'Alexander von Humboldt et son relevé du canal
de Casiquiare, des portraits photographiques d'Arana, de
Casement et de Fitzcarrald. Le gardien avait enclenché la
batterie électrique. Sur le pont supérieur un gramophone à

pavillon jouait Verdi en sourdine. Il me semblait à présent que nous avions entrepris ce voyage pour atteindre ce navire, que je n'aurais pourtant jamais découvert sans la curiosité de Pierre, et que cette photographie imaginaire de la petite bande, c'est sur le pont de l'*Ayapua* qu'il convenait de la composer, d'assembler côte à côte devant l'objectif Herzog et Casement, Vaca Diez et Fitzcarrald, Lampion et Maria Bonita, Jagger et les personnages de Jules Verne, Moravagine et l'Indien Ipavu, Humboldt et Bonpland. Il faudrait aussi placer quelque part Henri Michaux, sur la photo. On choisirait alors le portrait que fit de lui, jeune, Claude Cahun, la nièce de Marcel Schwob.

sur l'équateur

> Descente du Napo en pirogue jusqu'à Iquitos,
> port péruvien sur l'Amazone.
> De là en bateau à travers le Brésil jusqu'à Para,
> port sur l'Atlantique.
>
> MICHAUX, *Ecuador*

Avant de glisser sur ce fleuve de l'amont vers l'aval, Michaux était à Quito. Avant cela encore il était né en Belgique. Son père y vendait des parapluies. Il connut l'ennui, observa les insectes et les brins d'herbe, à la loupe. Un jardin suffisait à cet infime cosmos. Il admirait une constellation, Lautréamont, Rimbaud, Cendrars. Seul ce dernier vivait encore. Il était allé l'écouter à Bruxelles.

Pour échapper un peu à l'ennui, d'un coup il s'était fait matelot, depuis Boulogne avait navigué sur la mer jusqu'à Savannah, Norfolk, Rio de Janeiro, Buenos Aires, à son retour à Paris avait rencontré le poète montévidéen Supervielle. Celui-là deviendrait son tuteur littéraire comme Larbaud l'avait été pour lui. Jules Supervielle lui présente Alfredo Gangotena, poète équatorien de langue française. Michaux voyage en Tunisie, en Algérie, mais maintenant rêve de l'Équateur. Il lit La Condamine et Humboldt.

L'invitation arrive. Depuis Amsterdam il gagne Panama, descend le Pacifique jusqu'au port de Guayaquil, prend le train Transandino pour Quito. C'est encore douze heures de voyage. Il s'installe chez Gangotena, calle García Moreno. Il s'ennuie.

Le soir, la haute bourgeoisie quiténienne défile dans le salon, papote, comme à Bruxelles ou Charleroi. Il peste mais c'est une posture, ne veut pas faire son Cendrars puisque c'est déjà fait, feint de détester les voyages et les explorateurs. Gangotena écrit *Terre trois fois maudite*. Ensemble ils respirent de l'éther. Mais enfin il a promis un livre avant son départ, l'envoie par petits bouts, à Jean Paulhan, pour parution dans *La Nouvelle Revue française*.

Je te salue quand même, pays maudit d'Équateur.
Mais tu es bien sauvage,
Région de Huygra, noire, noire, noire,
Province du Chimborazo, haute, haute, haute,
Les habitants des hauts plateaux, nombreux, sévères, étranges.

À trois mille mètres, on s'essouffle vite. « Nous fumons tous ici l'opium de la grande altitude, voix basse, petits pas, petit souffle. Peu se disputent les chiens, peu les enfants, peu rient. » Il peste et n'empêche nourrit des rêves rimbaldiens et cendrarsiens de fortune : « On veut me donner la direction d'une forêt à distiller. Pourquoi pas ? On verra ça. Il se produit de l'acide acétique qu'on peut vendre. » Celui qui plus tard demandera qu'on n'imprime pas ses livres à plus de deux mille exemplaires, tirage au-delà duquel commencerait le malentendu, préférerait disposer, comme Gangotena, d'une fortune inépuisable.

Pour donner du nerf à tout ça, à ce livre qui tourne un peu en rond, plutôt que de rentrer en Europe par le même chemin, il choisit d'entreprendre, en 1928, le même voyage qu'Orellana en 1541.

Et cependant c'est la forêt tropicale.
Suffit de voir son faste, sa noce, son allure de muqueuse.
Mais celle-ci ressemble surtout à un écroulement,
Il n'y a pas de chemin et l'on va à pied.

La peur atténue l'ennui, enseigne que nous ne devrions pas redouter la mort qui, effaçant tout, efface bien davantage de tristesse que de bonheur.

Le désespoir est doux,
Doux jusqu'au vomissement.
Et j'ai peur, peur,
Quand la moelle elle-même se met à trembler,
Oh ! J'ai peur, j'ai peur,
Je n'y suis plus, je n'y suis presque plus.

Au long de la grande descente, il apprend la légende du minuscule poisson capable de remonter le jet d'urine comme un tout petit saumon.

le redoutable candiru

Il semble qu'on pêche l'animalcule davantage dans les livres que dans les rivières. Il nage déjà chez Verne au fond de *La Jangada*, lorsque celui-ci énumère les poissons amazoniens, parmi lesquels les « candirus, dangereux à prendre, bons à manger », puis, en amont de Manaus, où l'on « recueillit aussi, par milliers, de ces candirus, sortes de petits silures, dont quelques-uns sont microscopiques, et qui ont bientôt fait une pelote des mollets du baigneur imprudemment aventuré dans leurs parages ». Mais peut-être, ici, demeure une confusion avec le piranha.

La description chez Michaux est plus précise : « Il y a aussi dans l'eau un petit poisson charmant, gros comme un fil de laine, joli, transparent, gélatineux.

« Vous vous baignez, il vient à vous, et cherche à vous pénétrer.

« Après avoir sondé au plus sensible, avec beaucoup de délicatesse, (il adore les orifices naturels) le voilà qui ne songe plus qu'à sortir. Il revient en arrière ; mais reviennent en arrière aussi et se soulèvent malgré lui une paire de nageoires-aiguilles. Il s'inquiète, s'agite et tâchant de sortir ainsi en parapluie ouvert, il vous déchire en d'infinies hémorragies.

« Ou l'on arrive à empoisonner le poisson, ou l'on meurt. »
Bien sûr la joaillerie pourrait s'emparer du problème,
créer un joli bijou pour la baignade en Amazonie, bouchon
à cul en or, bonde reliée par une chaînette du même métal
au calbut de bain, mais selon l'Indien Ipavu, dans *L'Expédition Montaigne* de Callado, l'animal est plus malin : « Tout
candiru remonte de l'œil du cul à l'œil qui voit tout, de la
fente de la femelle à l'âme de nous tous, et de la tête de la
queue à l'autre tête et à la cervelle, où il déploie ses épines
et ses nageoires, se croche, se niche, et personne ne peut
plus arracher de là le poisson favori de Maïtvotsinim. »

Lorsque Carvalho, enfant, est avec son père à bord du
monomoteur, dans *Neuf nuits*, il découvre à son tour le
candiru : « Nous voyagions tous les deux seuls au-dessus
de ce bout du monde, et je me distrayais en feuilletant
un manuel de premiers secours et de survie dans la forêt
détaillant les pires horreurs en cas d'atterrissage forcé ou
de chute de l'avion, comme la description d'un poisson
minuscule qui m'angoissait rien qu'à imaginer qu'il entre
par l'orifice du pénis et, une fois installé dans l'urètre,
qu'il y déploie ses écailles ou Dieu sait quoi, si bien qu'il
serait impossible de l'en expulser, le tout abondamment
illustré. »

La phrase est au mode conditionnel. Il suffit cependant
de quelques recherches pour constater que le candiru,
Vandellia cyrrhosa, n'est pas seulement une légende d'Indiens
farceurs. Une fois installé en votre intimité, il suce le
sang et grossit vite : le docteur Anoar Samad, chirurgien
urologue de Manaus, écrit avoir opéré le 28 octobre 1997
un jeune garçon et avoir extirpé de son urètre une bestiole
de douze centimètres de long. Sans doute faut-il fournir
davantage d'efforts qu'avec le plaisant ouistiti pour voir en

lui un animal non-humain doué de sensibilité. Grande doit être la solitude de celui qui vit en compagnie d'un candiru dans un bocal à poisson rouge, se piquant chaque matin le doigt pour l'abreuver de quelques gouttes.

à Quito

Dès ma première arrivée dans cette capitale, j'avais voulu voir, dans le quartier pentu du vieux centre, la maison de Gangotena rue García Moreno où s'était ennuyé Michaux. Assez vite j'avais annulé mon billet de retour, choisi de m'installer au Reina Isabel de l'avenida Amazonas. J'avais pris rendez-vous avec Edwin Madrid que j'avais rencontré dans un jardin de l'université puis, à mesure que nous devenions proches, dans la maison de bois et de briques de couleurs vives qu'il avait dessinée, loin du centre, sur une colline, à plus de trois mille mètres.

Nous avions décidé d'organiser ensemble ce prix littéraire que je transportais autour de l'Amérique latine, d'assembler aussi un panorama de la littérature du pays. Plus tard j'avais édité le roman épistolaire de César Ramiro Vásconez *Tierra tres veces maldita*, lequel reprenait en citation liminaire le poème de Gangotena, « Ô Terre ! Terre trois fois maudite, cette fois-ci, ô Terre ! je te contemple animé de toute la haine dont mes yeux seront un jour capables », roman qui assemblait la correspondance fictive échangée par les trois amis séparés et brouillés après la parution d'*Ecuador*, Gangotena, Supervielle et Michaux.

À présent que je pouvais y mener une vie sociale, j'avais commencé de séjourner de temps à autre à Quito dans ces temps de la Revolución Ciudadana, comme autrefois à Managua auprès des sandinistes du Movimiento Renovador, alternant avec les moments que je passais à Mexico dans le studio de La Condesa, où je poursuivais mes enquêtes sur la révolution et ses soubresauts jusqu'à l'assassinat de Trotsky. Il me semblait que Quito pouvait devenir un lieu de repli comme l'avait été Montevideo vingt ans plus tôt. En 2008, j'avais rencontré Ramiro Noriega, tout juste nommé ministre de la Culture de cette révolution en laquelle on pouvait alors placer certains espoirs. Cette année-là, le sous-continent paraissait en effervescence, et il n'était pas trop difficile de partager cet optimisme.

Devant mon enthousiasme, un syndicat d'électriciens avait mis à ma disposition une petite voiture et un chauffeur. Nous étions partis pour Mitad del Mundo, avions poursuivi la route vers Mindo, longeant les champs de maïs, les carrés verts de luzerne et plus sombres de haricots, visitions les mariposarios en descendant vers le Pacifique et Esmeraldas, où La Condamine avait établi, en 1736, la première description scientifique de l'hévéa.

Les années passant, j'avais côtoyé le successeur de Ramiro, Francisco Borja. Jeune journaliste en juillet 1979, celui-là était entré au Nicaragua par la route depuis le Costa Rica, avait assisté au triomphe de la révolution sandiniste. Mais c'est avec un autre Borja, Luis, que je sillonnais la ville. Celui-là écrivait sur les œuvres en parallèle de César Davila Andrade et de Samuel Beckett, conduisait à tombeau ouvert une Jeep blanche et déglinguée qu'il appelait El Chivo. À bord nous mâchions des feuilles de coca et sirotions du whisky, parfois fumions « à la manzana » en hurlant

Hurricane de Bob Dylan, il me déposait au milieu de la nuit devant l'appartement que j'occupais au-dessus de Guápulo. Le matin sur la terrasse, devant la vision lowryenne du volcan Antisana enneigé, je reprenais mes lectures de la littérature équatorienne et de l'histoire locale, depuis les Incas et la scission d'avec le Pérou, du temps de Bolívar et de San Martín, les guerres qui avaient suivi, la proposition faite par Gabriel García Moreno à Napoléon III, après le blocus du port de Guayaquil, en 1860, de faire de l'Équateur une colonie française, pour le protéger de son encombrant voisin.

Avec l'idée de passer le mois de février 2015 dans le pays, après que j'avais proposé à Edwin de faire traduire son recueil *Al Sur del ecuador*, puis de l'inviter à Saint-Nazaire, afin qu'il vît au Croisic la statue de Pierre Bouguer, j'avais choisi la date du 21 février pour que nous partions ensemble vers le nord par la route, pour le volcan Cotacachi dont Humboldt et Bonpland avaient entrepris l'ascension, franchissions la ligne de l'équateur, naviguions sur la lagune de Culcocha dont l'eau du cratère est vide de poissons, et nous rendions, comme Gangotena et Michaux, au lac San Pablo.

Avant de rejoindre Guayaquil, j'étais retourné à Mitad del Mundo où la mission La Condamine avait mesuré son arc de méridien. Ces hommes, dont certains allaient mourir au cours de l'expédition, avaient quitté La Rochelle en 1735. À Quito ils s'étaient querellés, séparés. L'astronome Pierre Bouguer, le Croisicais, était rentré le premier. Le botaniste Joseph de Jussieu était descendu vers le sud, jusqu'à Puno sur les rives du Titicaca, était demeuré trente-six ans au Pérou avant de rapporter son herbier à

Paris. Charles Marie de La Condamine avait entrepris de revenir par le fleuve, en 1744, avait repris la grande descente d'Orellana, exploit dont Jules Verne rendait compte. « Cet immense voyage devait avoir des résultats considérables : non seulement le cours de l'Amazone était établi d'une façon scientifique, mais il paraissait presque certain qu'il communiquait avec l'Orénoque. Cinquante-cinq ans plus tard, Humboldt et Bonpland complétaient les précieux travaux de La Condamine en levant la carte du Marañón jusqu'au rio Napo. »

Alexandre & Aimé

Lorsque ces deux-là embarquent à l'été 1799 à La Corogne pour traverser l'Atlantique, c'est un peu le hasard qui vient de choisir leur destination. L'important était de partir. Alexander von Humboldt finance le voyage commun sur sa fortune personnelle. « Dès mon plus jeune âge, j'ai eu envie d'aller dans des contrées lointaines rarement visitées par des Européens. L'étude des cartes et la lecture des récits de voyage engendraient en moi une fascination secrète qui était parfois presque irrésistible. »

Celui qui deviendra de son vivant l'homme le plus célèbre du monde après Napoléon Bonaparte est né la même année que lui, en 1769, il a étudié l'administration et l'économie politique puis l'ingénierie minière. Lecteur enthousiaste de Kant et des romantiques, et aussi de ses illustres devanciers James Cook et Louis-Antoine de Bougainville, il a souvent séjourné à Weimar et à Iéna auprès de Wolfgang von Goethe et de Friedrich Schiller. Goethe étudie les insectes et la géologie, travaille à sa théorie des couleurs. La science et la poésie sont une seule discipline. Une gravure les montre tous les trois dans le jardin de Schiller. Ils lisent le poète et naturaliste anglais Erasmus Darwin, l'auteur de *The Loves of the Plants* et de *Zoonomia*. Humboldt veut partir. Cherche où aller. Explorer.

À vingt-neuf ans, il rencontre à Paris son héros Bougainville, lequel avait accosté à Tahiti en 1768. Ils imaginent une expédition au pôle Sud. Mais le projet est confié à Nicolas Baudin, puis abandonné par Bonaparte qui lance son expédition scientifique en Égypte. Avec Aimé Bonpland, botaniste et chirurgien de marine de vingt-cinq ans, ils essaient de rejoindre Le Caire, gagnent Marseille. On leur refuse le passage. Bonaparte estime avoir emmené déjà les plus éminents. Ils partent pour Madrid. Humboldt obtient du roi l'autorisation de se rendre à ses propres frais en Amérique espagnole. Ils font escale à Tenerife, pour se dégourdir les jambes entreprennent l'ascension du volcan Teide à trois mille sept cents mètres, atteignent le Venezuela, descendent vers le sud et les Llanos, naviguent sur l'Orénoque, vérifient l'existence du légendaire canal de Casiquiare, qu'ils dessinent et cartographient.

Inventeur de la définition scientifique d'un écosystème et de son équilibre entre l'eau et les arbres, les bêtes et les plantes, il décrit le risque de perturbation amené par l'intervention humaine. « Lorsqu'on détruit les forêts comme les colons européens le font partout avec une imprudente précipitation, les sources tarissent entièrement ou deviennent moins abondantes. Les lits des rivières, restant à sec une partie de l'année, se convertissent en torrents chaque fois que de grandes averses tombent sur les hauteurs. » Les deux hommes descendent les bras du fleuve, énumèrent la ménagerie du bord, un chien, huit singes, sept perroquets, un toucan. Devant la beauté des paysages, ils éprouvent l'éblouissement poétique de Goethe et la philosophie de la nature de Schelling, et que l'homme est ici un intrus, « n'étant pas essentiel à l'ordre de la nature ».

Ils remontent vers le nord après deux ans d'exploration, gagnent Cuba avec le projet de partir pour le Mexique. Les guerres napoléoniennes rendent la navigation périlleuse. Ils décident de diviser en deux les collections accumulées de cartes, dessins, minéraux, herbiers. Une moitié sera expédiée vers Paris et l'autre vers Berlin. Pendant qu'ils font sceller les caisses inventoriées, ils apprennent à La Havane que l'expédition Baudin finalement se met en route avec deux navires pour traverser le Pacifique Sud vers l'Australie. Ils modifient leurs projets pour aller l'attendre à l'escale de Lima et tenter de se joindre à elle. Depuis Carthagène, sur la côte caraïbe de l'actuelle Colombie, ils s'élancent vers la cordillère des Andes avec leurs guides et leur barda d'instruments de mesure chargés sur des mules. Après une marche de neuf mois, ils ont parcouru deux mille kilomètres et sont à Quito. L'expédition Baudin a choisi le chemin de l'est, de franchir non pas le cap Horn mais celui de Bonne-Espérance, pour descendre l'océan Indien. Humboldt et Bonpland peuvent ralentir leur course.

Ils entreprennent l'ascension du volcan Cotacachi jusqu'à 4 000 mètres, puis de l'Antisana, les voilà déjà plus hauts que La Condamine et Bouguer. Ils se lancent à l'assaut du Chimborazo qui culmine à plus de 6 000. Le 23 juin 1802, ils ont atteint l'altitude de 5 917 mètres et doivent renoncer. Les voilà les deux hommes les plus hauts du monde. Humboldt réalise le magnifique dessin coloré, son *Tableau physique des Andes et pays voisins*, plaçant à leur hauteur respective sur un plan de coupe les roches et les plantes étagées, œuvre dont Stanley s'inspirera dévotement en Afrique pour dessiner les pentes du Ruwenzori jusqu'aux neiges éternelles. Après leur séjour de cinq mois à Quito, les deux hommes parcourent les mille cinq cents kilomètres qui les séparent de Lima plus au sud, étudient l'architecture et la civilisation des Incas. Depuis le port de Callao ils embarquent pour remonter vers l'équateur. En mer, Humboldt découvre et mesure le courant d'eau froide venu du Chili, auquel il donne son nom.

Ils sont à Guayaquil dans l'attente d'un passage pour le Mexique lorsque le Cotacachi entre en éruption le 4 janvier 1803. Humboldt se précipite. Il est en chemin lorsque des messagers envoyés par Bonpland lui apprennent qu'un navire les accepte à son bord. Pendant un an ils vont parcourir le Mexique, étudier les civilisations aztèque et maya et copier les codex. En ces temps bénis où l'on pouvait encore savoir un peu tout, ils emplissent leurs carnets de considérations scientifiques, poétiques et politiques, établissent un lien entre l'exploitation coloniale et la destruction environnementale, les terres rendues stériles par les monocultures. Humboldt consigne aussi des critiques acerbes du rôle de l'Église catholique et de son clergé. « L'idée même de colonie est immorale. »

Avant de regagner l'Europe, depuis Cuba ils font un détour vers le nord et Philadelphie, puis Washington. La capitale compte un peu plus de quatre mille habitants. Humboldt veut s'entretenir avec Thomas Jefferson. Celui qui avait rédigé la Déclaration d'indépendance est âgé de soixante ans, il vient de lancer l'expédition de Clark et Lewis vers le Pacifique par voie terrestre. Humboldt est en avance sur son temps. Thomas Jefferson n'est pas Abraham Lincoln. Ils ne parviendront pas à surmonter leur différend sur l'esclavage, désastre à la fois humain et écologique :

« Ce qui est contraire à la nature est injuste, mauvais et injustifié. »

Cinq ans après leur départ, les deux hommes étaient de retour à Paris, en août 1804. Humboldt s'installait à Saint-Germain, quai Malaquais dans l'actuel sixième arrondissement, apprenait les nouvelles : six mois plus tôt Kant était mort, trois mois plus tôt Napoléon s'était proclamé empereur. La liberté scientifique était cependant plus grande à Paris qu'à Berlin. Humboldt entreprit en français la rédaction de son *Voyage aux régions équinoxiales du Nouveau Continent* qui compterait trente volumes. L'immense savant, anticolonialiste, anticlérical et abolitionniste, devint familier du cénacle de Chateaubriand et de Mme de Staël, ami de Gay-Lussac, eut en Grande-Bretagne un lecteur enthousiaste en la personne de Charles Darwin, le petit-fils d'Erasmus Darwin, naturaliste à son tour. Les chats ne font pas des chiens.

à Guayaquil

Avec Pierre, nous étions descendus à l'hôtel Continental, lequel offre une vue plongeante sur le parc Seminario souvent appelé Bolívar, où se dresse la haute statue équestre du Libertador flanquée de bas-reliefs en bronze, dont l'un évoque sa rencontre ici avec le général argentin José de San Martín.

Aucun vol depuis Iquitos ne franchissait la cordillère et nous avions dû effectuer le détour par Lima, étions arrivés dans la nuit, trop tard pour aller saluer les gros iguanes jaune et vert qui font la réputation de ce parc, attirent les visiteurs qui peuvent les contempler depuis les bancs publics vert sombre installés dans ce but, bancs publics que les dragons griffus conchient dès la fin du jour, après qu'ils se sont lentement hissés sur les branches des manguiers pour y attendre l'aube, et le haut portail est fermé pour respecter leur sommeil et leur paisible digestion. Nous avions longé les quatre côtés de ce carré protégé de hautes grilles, étions passés devant le parvis de la cathédrale elle aussi fermée, à laquelle le Libertador dédaigneux présente son dos et la croupe de son cheval. Comme sur chaque Plaza Major de chaque bourgade de l'Amérique hispanique, cette statue équestre du héros n'était plus là que pour nous rappeler qu'avait existé le grand rêve bolivarien d'unité, et qu'il s'était fracassé.

Même si depuis mon dernier passage, trois ans plus tôt, j'avais surtout voyagé en Afrique et en Asie, et aussi en Europe, parcouru un tour de la France au volant d'une Passat, j'avais effectué quelques sauts en Amérique, au Chili, au Nicaragua, au Mexique, au Guatemala, puis entrepris avec Pierre la traversée du Brésil et du Pérou pour retrouver cette ville où je m'attendais bien à constater comme ailleurs l'effondrement. En ce milieu de l'année 2018, continuaient à descendre les fuyards de la República Bolivariana de Venezuela. La Colombie accusait l'armée vénézuélienne d'une incursion sur son territoire. Quelques heurts violents avaient éclaté au Brésil avec des réfugiés. L'état d'urgence était décrété en Équateur.

Pendant que Pierre découvrait seul Guayaquil, la splendeur de ses immeubles d'architecture italienne et française, les hautes galeries couvertes sous verrières, tout cela édifié dans les mêmes années que les palais de Manaus, du temps que ce port sur l'Amazone était à l'apogée du caoutchouc et que ce port sur le Pacifique était le premier exportateur mondial de cacao, pendant que Pierre donc arpentait, et sans doute emplissait ses carnets, je m'astreignais à la lecture des journaux locaux, afin de combler mes trois années de retard dans le détail de la vie politique équatorienne.

Élu président depuis un peu plus d'un an, successeur de Rafael Correa dont il avait été le vice-président de 2007 à 2013, Lenín Moreno reniait le prénom qu'avaient choisi pour lui ses parents vraisemblablement marxistes, se faisait le chantre de l'ultralibéralisme économique, mettait fin à la Revolución Ciudadana, annonçait des décisions brutales pour tenter de limiter la dette, portait de violentes accusations contre Correa parti vivre à Bruxelles, et dont il demandait l'extradition.

Le soir nous marchions sur le très large malecón le long du río Guayas, promenade piétonne gagnée sur le lit du fleuve bourbeux, ou de cet estuaire, assez loin à l'abri des fureurs de l'océan, sous les palmiers et les manguiers, dépassions les jeux pour enfants et le siège du yacht-club, un peu étourdis après Iquitos par la hauteur des immeubles et le vacarme de la circulation automobile. La promenade était ponctuée de nombreuses statues en bronze des hommes illustres de la cité dont nous lisions les noms, parmi lesquels aurait pu figurer celui de notre vice-consul Charles Wiener, diplomate né autrichien et devenu français par goût de l'aventure, explorateur de l'Amazonie depuis Guayaquil pour y chercher des voies commerciales, auteur d'une « Carte du développement et du progrès » envoyée au Quai d'Orsay, mort à Rio de Janeiro en 1913. Mais, surtout, nous accompagnaient les trois grands spectres de la ville, Orellana qui en fut le gouverneur, Humboldt et Bolívar qui y séjournèrent.

Alexandre & Simon

Dans les premières semaines de leur retour à Paris après cinq ans d'absence, à l'été de 1804, par nostalgie peut-être, Humboldt et Bonpland avaient commencé de fréquenter le milieu des Sud-Américains de la capitale, et parmi eux un jeune dandy de vingt et un ans aux cheveux très noirs, longs et bouclés. Simón Bolívar se console de son veuvage précoce, de la mort à Caracas de la belle María Teresa del Toro, victime des fièvres un an plus tôt. Leurs conversations parisiennes sont géographiques et politiques. Le petit jeune homme aux longs cheveux noirs assiste le 2 décembre au sacre de l'Empereur dont il admire le faste et la pompe. Il commence à rêver de gloire et de victoires militaires, de l'émancipation des colonies américaines du joug espagnol.

En mars 1805, Alexander von Humboldt et Joseph-Louis Gay-Lussac sont à Rome. Ils mènent ensemble des recherches sur la dilatation des gaz et le magnétisme, envisagent de gagner Naples. Le géographe veut entreprendre, après celle des volcans équatoriens dont le Chimborazo, l'ascension du Vésuve pour y effectuer des mesures. Un mois plus tard, Simón Bolívar prend en compagnie d'un ami la malle-poste pour Lyon et continue à pied jusqu'à l'Italie. Il vient chercher les conseils et les avis politiques de Humboldt, lequel le conforte dans ses résolutions. Sa décision est prise. Elle doit mûrir encore. Un an jour pour jour après le couronnement de l'Empereur, le 2 décembre 1805, c'est la victoire d'Austerlitz. La vague napoléonienne entraînera la chute du trône d'Espagne et favorisera ses vues.

Dès son retour au Venezuela, en 1807, Bolívar écrit, harangue, fomente, prend les armes. Après les heurts, les troubles, il doit fuir. C'est depuis Carthagène des Indes sur la côte caraïbe qu'il lancera sa première campagne. Il entre victorieux dans Caracas en août 1813, aussitôt doit battre en retraite. Sa république est quasiment réduite à l'île Margarita qu'avait occupée avant lui Lope de Aguirre. Il part en exil vers la Jamaïque, puis Haïti, colonie déjà libérée des Français. Sa deuxième tentative est fulgurante. Le voilà général. Il crée et préside la Colombie en décembre 1821. La gloire est éphémère et fragile : l'Empereur est mort six mois plus tôt, prisonnier sur son île. Bolívar descend au sud, entre dans Guayaquil, où il rencontre le 26 juillet 1822 l'autre Libertador, le général argentin José de San Martín qui a pris Lima six mois plus tôt. Contre toute attente, alors que cet aigle à deux têtes vient d'établir la jonction libératrice, San Martín s'efface, abandonne la lutte, lui laisse la place, et part pour l'exil.

En cette année 1822, au faîte de sa réussite révolutionnaire, Bolívar écrit un texte curieux, *Mon délire sur le Chimborazo* : « Je cherchais les traces de La Condamine et de Humboldt, je les suivis, plein d'audace, rien ne pouvait m'arrêter, j'atteignis les régions glaciales, l'atmosphère m'empêchait de respirer. » En rêve, dans son absolu délire de gloire, il monte jusqu'au sommet, plus haut encore que Humboldt et Bonpland : « Alors, pris d'une fureur d'esprit jusqu'alors inconnue, qui me parut divine, je laissai derrière moi les traces de Humboldt pour fouler les cristaux éternels du Chimborazo. » De son côté, Humboldt publiera un *Essai politique sur le royaume de la Nouvelle Espagne*, un *Essai politique sur l'île de Cuba*, textes anticolonialistes et abolitionnistes. Bolívar dans la Constitution de 1826 proscrit l'esclavage. Humboldt le cite comme un exemple que le monde entier doit suivre.

Aimé Bonpland quant à lui ne s'était pas contenté d'écrire. Il avait rencontré à Londres les hommes de Bolívar, leur avait apporté son soutien pour lever des fonds et acheter des armes, leur avait offert une presse d'imprimerie. Bolívar l'invite. On l'attend. C'est la guerre aussi sur les océans. Bonpland choisit de débarquer à Buenos Aires. Il reprend ses recherches botaniques, remonte le fleuve Paraná en direction du Brésil, acclimate l'herbe à maté, dont il ouvre une exploitation près de la frontière du Paraguay.

Le dictateur José Gaspar Rodríguez de Francia voit d'un mauvais œil cette concurrence économique de la part d'un révolutionnaire bolivarien. Bonpland est capturé, jeté en prison. Bolívar exige sa libération, menace d'envoyer une armée vers Asunción. Francia sait bien qu'il n'est pas en mesure de traverser le continent. Bonpland demeure son prisonnier pendant de longues années, n'est libéré qu'en 1831 après la mort de Bolívar. Il regagne l'Argentine, reprend sa correspondance avec Humboldt. Les deux hommes imaginent dans ces lettres que peut-être ils se reverront un jour. Autour d'eux leurs amis disparaissent. L'un est à Buenos Aires et l'autre à Berlin. Bonpland meurt oublié en 1858, Humboldt adulé l'année suivante, à quatre-vingt-dix ans. Cette année-là de 1859, leur disciple Charles Darwin fait paraître *Origin of Species*.

Leur ami parisien devenu Libertador n'atteignit pas une telle longévité. Après une ultime victoire péruvienne à Ayacucho en 1824, et la reddition définitive des Espagnols, il s'emploie à fédérer l'ensemble du territoire hispanophone depuis l'isthme centraméricain jusqu'à la Terre de Feu. Dès 1826, le bel édifice du rêve d'unité se fissure, puis s'écroule sous le coup des luttes intestines et des ambitions, des soulèvements, des assassinats. En lui ne progressent que l'amertume et la tuberculose. C'est la fin romantique du héros tant de fois décrite par des écrivains de fiction, surtout colombiens. Gabriel García Márquez écrira *Le Général en son labyrinthe*, Álvaro Mutis imaginera les propos que prononce le moribond devant un colonel polonais de son état-major : « Ici toute entreprise humaine devient vaine. Le désordre vertigineux du paysage, les fleuves immenses, le chaos des éléments, la démesure des forêts, le climat implacable corrodent la volonté et minent les raisons profondes, essentielles, de vivre... »

Le Libertador qui crache le sang quitte Bogotá pour Santa Marta sur la côte. Celui qui a coupé en deux l'histoire de l'Amérique latine, celui qui a choisi le nom de la Colombie, celui en l'honneur duquel on a rebaptisé le Haut-Pérou la Bolivie, se prépare comme avant lui San Martín à un nouvel exil, livre un dernier combat épistolaire. Assis dans son fauteuil en rotin devant les vagues, il écrit le 9 novembre 1830, dans une lettre au général Juan José Florés alors à la tête de l'Équateur : « Celui qui sert une révolution laboure la mer. » Il meurt le 17 décembre à San Pedro Alejandrino, à quarante-sept ans. Il n'a pas

eu le temps d'écrire ses mémoires. Jamais nous ne connaî-
trons la teneur de la rencontre de Guayaquil. Jamais non
plus San Martín ne lèvera le voile, qui pourtant vivra vingt
ans encore.

Nous étions devant l'Hémicycle de la Rotonde sur
le malecón au-dessus du fleuve, dix hautes colonnes en
marbre élevées en l'honneur de la rencontre des deux héros
non loin d'ici, le 26 juillet 1822, dans une maison disparue,
au coin des rues Pichincha et 9 de Octubre. Ce jour-là le
général Simón Bolívar, libérateur du Venezuela et de la
Colombie, avait trente-neuf ans, le général José de San
Martín, libérateur du Chili et du Pérou, en avait quarante-
quatre. Devant les colonnes, les statues en pied des deux
Libertadores qui se serrent la main peuvent appeler à notre
souvenir la photographie en noir et blanc de la rencontre
des deux révolutionnaires à Mexico, en 1914, Pancho Villa
descendu du nord et Emiliano Zapata monté du sud. Mais
ces deux-là étaient entourés de leurs troupes, avaient ensuite
repris leurs combats respectifs. La rencontre de Guayaquil
fut un tête-à-tête sans témoins, à l'issue duquel l'Argentin,
veuf, était parti pour l'exil en compagnie de sa fille unique,
Merceditas, avait pris un navire pour Le Havre.

Après que j'avais suivi un peu partout les traces de
Bolívar, depuis mes lointains séjours à Caracas où il
reposait encore au Panthéon national, des années avant
que Hugo Chávez ne le fît exhumer, puis transporter dans
l'immense mausolée qui évoque celui que Denis Sassou
Nguesso élevait au même moment pour Brazza sur la rive
du Congo, je m'étais rendu à l'École royale de Sorèze, où
il est à présent avéré que jamais le futur général n'étudia
la science militaire, malgré l'hommage qui lui est rendu

dans la salle des bustes. Et contemplant celui-ci, de buste à épaulettes, je songeais à toutes ces histoires des têtes perdues et retrouvées, celle de Bolívar qui manque à sa dépouille dans son mausolée, celle de Pancho Villa qui fut volée après son assassinat, celle de Pizarro retrouvée dans une boîte à Lima, celle de San Martín qui est à Buenos Aires dans la cathédrale.

Sur les traces de celui-ci, j'étais parti vers Ris-Orangis de l'autre côté de Grigny, à une vingtaine de kilomètres au sud de Paris. Rue du Général-San-Martin, à présent sur la commune d'Évry, la demeure où s'étaient retirés le père et sa fille était devenue le couvent de la Solitude des sœurs de Notre-Dame de Sion. Esther qui m'accompagnait avait apporté des cadeaux pour les nonnes, lesquelles, souvent en provenance du Proche-Orient, effectuaient ici des retraites assez brèves, sans trop savoir où elles se trouvaient. Après que nous avions visité la chapelle, elles nous avaient montré la plaque en l'honneur du héros que chaque année venait fleurir l'ambassadeur d'Argentine.

Nous avions poursuivi notre enquête dans les environs, traversé le centre commercial Évry-2 pour gagner la cité des Pyramides, où venait d'éclater le scandale de la première supérette, un Franprix, qui avait retiré de ses rayons le vin et le porc et attirait alors la presse nationale, laquelle sans doute, quinze ans plus tard, ne se déplacerait que pour l'inauguration d'une charcuterie, avions visité non loin la cathédrale toute neuve que le pape était venu bénir, et de l'autre côté d'un large boulevard la mosquée toute neuve de Courcouronnes, dont l'Arabie saoudite avait financé la construction. San Martín avait quitté ces lieux pendant les troubles révolutionnaires de 1848 pour s'installer à Boulogne-sur-Mer, d'où il était plus facile de s'extraire en cas de conflit, était mort deux ans après, à soixante-douze ans, sans avoir jamais levé l'énigme de Guayaquil.

Trente ans après sa mort, l'Argentine avait rapatrié ses restes, comme un jour peut-être elle voudra rapatrier ceux de Jorge Luis Borges venu mourir à Genève sur les lieux de son enfance, et dont la tombe est au cimetière des Rois à Plainpalais : celui-là seul avait percé l'énigme, dans sa nouvelle *Guayaquil*.

Contre leur gré, au cours d'une conversation feutrée à Buenos Aires, deux universitaires se rencontrent autour d'une lettre de Bolívar qu'on aurait retrouvée, dans laquelle il serait fait mention du huis clos énigmatique. « Les paroles échangées furent peut-être banales. Deux hommes s'affrontèrent à Guayaquil. Si l'un des deux s'imposa, ce fut par sa volonté plus forte, et non par des jeux de dialectique. Comme vous le voyez, je n'ai pas oublié mon Schopenhauer. » Cette nouvelle de Borges est la démonstration que la littérature peut atteindre à une vérité inaccessible à la science historique.

père & fils

Un autre qui pourrait avoir son nom gravé sur le malecón, c'est Moritz Thomsen, mort à Guayaquil de la malaria, ou bien du choléra, selon les sources, ou bien encore de tristesse.

Son grand-père était en affaires avec le président mexicain Porfirio Díaz pour la construction de la voie ferrée Mexican-Pacific et la production de caoutchouc. Comme l'émigré suisse Suter, le héros de *L'Or* de Cendrars, propriétaire de toute la Californie, Thomsen, l'émigré danois, possédait toute la baie d'Acapulco. Les guerres révolutionnaires de Pancho Villa avaient entravé ses projets. Il était remonté créer des minoteries dans le nord, vers Seattle. Son immense fortune avait été transmise à son fils Charles, qui l'accrut encore, par spéculation. Moritz voue une haine absolue à celui-ci. On retrouvera dans les papiers du fils après sa mort *My Two Wars*, qui paraîtra de manière posthume, texte dans lequel il fait le récit de ses deux guerres, celle contre les nazis et l'autre contre son père.

À partir de 1943, le jeune aviateur avait mené vingt-sept missions de pilonnage de l'Allemagne. Cette année-là, l'écrivain et marin norvégien Nordahl Grieg, l'ami de

Malcolm Lowry, avait trouvé la mort dans l'explosion de son bombardier au-dessus de Berlin. Bien avant, Lowry s'était fait marin pour déplaire à son père, le grand bourgeois anglais, comme Quain s'était fait marin pour déplaire au sien, l'homme d'affaires américain, comme Michaux s'était fait marin pour déplaire au sien, le riche commerçant belge. Être un père pauvre ne suffit pas non plus pour éviter d'être détesté.

Après-guerre, Thomsen essaie de monter une ferme par goût de la vie simple, refuse le soutien paternel, fait faillite. Par mauvaise conscience il s'engage dans les Peace Corps, aussi parce que ces volontaires sont pour le père une bande de gauchistes et de tiers-mondistes. On l'expédie à Esmeraldas sur la côte de l'Équateur, apporter des conseils agronomiques aux populations des descendants d'esclaves africains. Il partage leur existence misérable, prend des notes, publie en 1968 *Living Poor*. Par un amusant paradoxe, cette ode à la frugalité dans la veine de Thoreau se vend à plus de cent mille exemplaires et lui rapporte un paquet de blé. Après la gloire militaire c'est la littéraire.

Il fait l'acquisition de terres le long de ce río Verde en bordure de jungle, qu'il entreprend de défricher, vit seul, est ravitaillé de temps à autre par une pirogue que lui envoie son associé Ramón. Dans sa cabane sur pilotis, sous laquelle les poules et les cochons se protègent des averses tropicales, il continue à empiler ses textes « rédigés à ces heures d'avant l'aube, lorsque la terre est encore plongée dans l'obscurité, ou pendant ces jours de pluie interminable de la saison froide, quand le bétail accablé et muet se blottit dans les broussailles ». À la différence de Thoreau qui, autour de sa cabane, se satisfait de quelques carrés de haricots au milieu de la nature, et de Takashi, ponctuant celle-ci d'interventions presque invisibles, Thomsen comme Bernanos veut autour de lui l'agitation d'une ferme, le bruit des volailles et des enfants, le chant du coq. Il revendique le grand titre de paysan, crée une exploitation agricole, achète des tracteurs et des troupeaux, recrute des ouvriers, plante des bananeraies, dont des bateaux à moteur viendront charger les régimes. Les degrés successifs de l'échec, il les rassemblera dans *The Farm on the River Esmeraldas*.

Un gringo blanc honnête est un rare pigeon à plumer. Volé, spolié par ses voisins, finalement expulsé par son associé Ramón, Thomsen loue une chambre à Quito. L'altitude est trop grande pour ses poumons de vieux clopeur. Il a déjà plus de soixante ans. La ferme lui manque, où il pensait finir sa vie. « Je n'ai jamais cessé de croire que le travail de la terre était ma seule passion. » Il part pour le Brésil, écrit *The Saddest Pleasure*, et ce plaisir le plus triste est celui d'un vieil homme déraciné qui fut optimiste, avait voulu contribuer au développement, et en constate le résultat.

Dans certains villages amazoniens, nous avions vu avec Pierre ces longues cabanes au toit de palmes sèches au-dessus des feux, dans lesquelles l'air emprisonné est irrespirable. Mais la fumée a peut-être pour avantage d'éloigner moustiques et parasites, et je pensais, toussant, à cette remarque de Michaux : « L'armée du Salut songe, paraît-il, à envoyer des idiots dévoués là-bas, pour enseigner aux Indiens à percer des cheminées. » Quand le plus malin serait simplement de leur foutre la paix.

Dans les pays émergents comme dans les plus pauvres, par repentance ou dégoût de leur propre civilisation, haine des pères, des jeunes gens, pour certains des déclassés volontaires et sincères comme Moritz Thomsen, sont abusés par cette plaie des organisations non gouvernementales, lesquelles, dans le meilleur des cas, couvrent de leur oxymore les activités d'honorables correspondants des services de toutes les puissances étrangères, et pour les autres sont la plupart du temps de simples escroqueries au bénéfice de leurs actionnaires, l'autre grande escroquerie, mais davantage locale, étant le redoutable système concurrentiel et violent des multiples églises évangélistes comme celles qui soutenaient la candidature de Javier Bolsonaro au Brésil, se disputant l'âme et l'argent des fidèles, pratiquant la spéculation immobilière jusqu'au meurtre.

En cette année 2018, alors que Nicaraguayens et Vénézuéliens fuyaient vers le sud leurs deux pays en ruine, que des Honduriens et des Guatémaltèques partaient en colonnes vers le nord et traversaient le Mexique pour tenter de franchir la frontière des États-Unis, je songeais que Moritz Thomsen était parvenu à vivre le rêve américain à l'envers, né millionnaire dans le monde riche et venu mourir septuagénaire à Guayaquil dans la misère.

chez Ramiro

Un soir de 2008, à la Résidence de France de Quito, on m'avait présenté un jeune couple assis dans les fauteuils du jardin, fumant des cigarettes. Ils étaient beaux et souriants, chaleureux. Ramiro Noriega regrettait de manquer ce soir-là la retransmission d'un match de football, découvrait les contraintes et emmerdements que n'allait pas manquer de lui attirer sa toute nouvelle condition, pensait encore avec candeur qu'il pourrait concilier ses fonctions de ministre de la Culture avec ses études en Sorbonne. Il travaillait sur l'œuvre du romancier argentin Ricardo Piglia, lequel avait écrit *Un encuentro en Saint-Nazaire*, et nous avions un peu parlé de cette ville bretonne qu'il ne connaissait pas encore.

Plus tard nous nous étions revus dans ce curieux ensemble des petites maisons de sa famille, que nous appelions La aldea de los Noriegas, assemblées autour d'une cour où se menait une vie de bohème communautaire, au hasard du passage des uns et des autres, emplie d'enfants, de chiens, de musique, d'amis, d'artistes de passage parmi lesquels son frère Alfredo, qui vivait en Europe mais écrivait des romans qui avaient pour cadre sa ville de Quito.

Ramiro avait commencé par enseigner la littérature à l'université San Francisco de la capitale. Il avait pour collègue Rafael Correa qui enseignait l'économie. Ces deux-là avaient encore en commun d'être francophones et de jouer dans l'équipe de football de l'université. Correa était entré en politique lors de la crise financière qui avait ruiné le pays, entraîné en 2000 l'abandon de la monnaie nationale et la dollarisation du pays. Avec son programme révolutionnaire promouvant la justice sociale et les droits des Indiens, il avait emporté l'élection présidentielle de février 2007. Ramiro poursuivait alors ses recherches en France. Il lui avait proposé le portefeuille de la Culture, qu'il allait conserver deux ans. Après quoi, pour reprendre sa thèse en chantier, il avait choisi le poste de conseiller culturel de l'ambassade à Paris, où nous nous rencontrions de temps à autre. Il était venu voir à Saint-Nazaire le port où Piglia avait écrit son livre.

Ce qui cependant distinguait ces deux hommes, Rafael et Ramiro, c'est que le premier était originaire de Guayaquil au zéro du niveau de la mer, et le second de Quito, la cité andine au milieu des volcans : les deux villes s'étaient souvent opposées dans l'histoire de l'Équateur. En altitude les grandes familles des propriétaires terriens comme celle de Gangotena, en bas les dynasties des affairistes du commerce international. Les Guayaquiléniens ont parfois prétendu gagner l'argent que dilapidaient les Quiténiens. Après l'écroulement financier de la fin du siècle, des banques en faillite avaient été réquisitionnées à Guayaquil. Ce patrimoine foncier dorénavant propriété de l'État, Correa avait voulu en modifier la destination.

Au plus bel endroit de la ville, dans l'un de ces édifices majestueux sous verrière, le jeune président avait souhaité installer un lieu de création culturelle internationale ouvert à tous. Il en avait confié l'invention à Ramiro, retour de Paris en 2014 et à présent docteur. L'inauguration de cette Universidad de las Artes s'était tenue en février 2015, j'étais alors à Quito et il m'y avait invité. Nous avions présenté le roman *Ardillas* de Felipe Troya, lauréat du prix que nous avions organisé avec Edwin Madrid. Son enthousiasme était intact trois ans plus tard. Il détaillait pour nous ses nombreux projets en cours malgré les menaces politiques et économiques de Lenín Moreno. Ramiro s'était entouré des meilleurs professeurs et d'artistes invités, avait établi des partenariats en France avec la Femis pour le cinéma et l'Ircam pour la musique. Son optimisme semblait à toute épreuve et contagieux.

Nous visitions tous les trois le chantier d'une ancienne banque, haut immeuble Art déco fermé depuis plus de dix ans et en cours de transformation en bibliothèque publique. Ramiro avait voulu pour elle les plus beaux meubles en bois blond, les rayonnages où bientôt seraient assemblés les dizaines de milliers d'ouvrages en libre accès, des cabines pour le visionnage des films d'archives et d'histoire du cinéma. Depuis le toit couvert d'un dôme se voyait le fleuve, dôme à facettes de verre qui éclairait un puits de plusieurs étages où se construisait un mur d'escalade pour les enfants au milieu des livres. Il entreprenait à ses moments libres de traduire vers l'espagnol *Le Mont analogue* de Roger Daumal.

Pierre avait repris ses déambulations solitaires et nous avions regagné son bureau de recteur, au mur duquel était son diplôme obtenu en mars 2013, *Entre Histoire et mémoire*.

Un aspect du roman espagnol et hispano-américain à l'aube du XXIᵉ siècle (Piglia, Bolaño, Cercas). Nous évoquions la révolution et ce qu'il en restait. Ramiro regrettait l'abandon de cette belle idée qu'avait eue Correa de mettre fin à l'exploitation pétrolière, laquelle détruisait la jungle et les civilisations indigènes, de demander le soutien de la communauté internationale pour laisser le pétrole dans le sol sous la forêt, parce que l'humanité aurait à l'avenir davantage besoin d'air pur que d'énergie fossile.

Personne n'avait abondé. Le projet écologique avait été abandonné sous la pression budgétaire et celle des compagnies. Ramiro regrettait aussi qu'il n'ait pu revenir sur la dollarisation. Même si je n'étais pas un adepte absolu, je louais le courage de ce président réélu deux fois au premier tour, faisant face aux factieux lors de la tentative de putsch de septembre 2010. La mort violente du chef de l'État est un vilain penchant équatorien, celle de García Moreno assassiné en 1875, celle d'Eloy Alfaro lynché en 1912, celle de Jaime Roldos mort dans le sabotage de son avion en 1981.

À présent Rafael Correa habitait Bruxelles, où il avait étudié autrefois et s'était marié. Son ancien vice-président Lenín Moreno lui avait échappé, qui lançait contre lui une demande d'extradition pour des motifs aussi graves que l'enlèvement d'un opposant en Colombie, l'assassinat d'un général de l'armée de l'air, l'explosion anticonstitutionnelle de la dette, demande rejetée par la Belgique pour ses motivations ouvertement politiques. Assis dans ce bureau, au cœur de Guayaquil où Ramiro vivait maintenant depuis plus de trois ans, nous avions poursuivi cette conversation tout l'après-midi. À la fin de sa thèse, il se livre à l'analyse des rapports père-fils chez les trois auteurs, tout particulièrement à partir du journal de Piglia.

Nous étions ainsi passés de l'histoire du pays à celle de nos fils. Le sien, après avoir un peu baroudé seul jusqu'à Manaus, enseignait à l'École normale de Cuenca. Je lui disais notre voyage avec Pierre depuis l'Atlantique, mon projet d'écrire un de ces jours sur ces dix années de mes séjours équatoriens. Revenant au titre de sa thèse, *Histoire et mémoire*, les mots « hypermnésie » et « amnésie » étaient venus dans nos propos : il me confiait avoir connu, à un moment de sa vie, une sorte de trou de mémoire qui ne concernait que les petits détails, et avait duré dix ans, expérience sur laquelle il avait écrit *Las cicatrices inolvidables*, et je songeais que Pierre et moi avions sans doute nos carnets pour prévenir ce risque.

Avant notre départ pour la côte pacifique, et après que nous avions enfin vu voler un aigle harpie, Ramiro nous avait invités un soir chez lui. Son appartement semblait d'un étudiant, avec sa bicyclette au milieu de la pièce debout contre le divan. Nous avions grignoté sur le balcon au-dessus du malecón et du fleuve, non loin de l'hôtel Ramada lui aussi plus ou moins réquisitionné lors de la banqueroute, où l'on m'avait logé à l'époque, petit hôtel bientôt à l'ombre de deux immenses tours suisses en construction.

Une roue Ferris agaçante avait enfin coupé ses néons clignotants à minuit. Des amis de Ramiro étaient passés prendre un dernier verre. Nous nous étions tous serrés sur l'étroit balcon. Parmi eux un professeur de musique engageait une conversation avec Pierre, lequel découvrait ainsi les confidences que j'avais pu faire à son sujet et

peut-être s'en agaçait. Il répondait du bout des lèvres, quali-
fiait ses disques de post-punk, prenait l'exemple de Nick
Cave dont il aimait la voix, histoire de donner une idée,
concédait qu'on pouvait encore les écouter sur Internet
sous les noms de Tomohican et de Tina Ratzinger, et qu'il
en avait dessiné les pochettes. Pierre semblait prendre tout
cela, la musique et aussi la photographie, avec élégance et
détachement, même s'il ne reniait rien, mais maintenant,
disait-il, il s'intéressait davantage à l'archéologie. Après dix
ans de cigalisme, il entendait intégrer dès notre retour à
Paris la fourmilière universitaire.

aux amants

Ramiro avait aussitôt organisé pour lui la visite du musée archéologique et de ses réserves, visite à laquelle je m'étais joint. Les conservatrices qui nous accueillaient dans le grand bâtiment en aplomb du fleuve préparaient une exposition sur la permanence des instruments de musique indigènes, dont certaines formes, qu'elles nous montraient, avaient en effet peu varié depuis des millénaires, des petits objets dans lesquels il fallait souffler. Seul l'œil d'un expert – ou son oreille – distinguait le trésor ancien de la babiole sortie du four. Elles se plaignaient des restrictions budgétaires. Les ateliers de restauration, privés d'acquisitions, tournaient au ralenti. Elles ouvraient des tiroirs où dormaient des centaines de petites figurines féminines, connues comme les Vénus de Valdivia, antérieures de quelques milliers d'années aux œuvres de mes amis les Mochica, ceux-là installés plus au sud de la frontière avec le Pérou.

Nous avions loué un petit van de fabrication chinoise, dont le propriétaire acceptait pour une poignée de dollars de nous convoyer jusqu'à la côte. Pendant les heures de route, sur cette longue horizontale rectiligne depuis Guayaquil jusqu'à Santa Elena, assis sur la banquette arrière, j'observais Pierre à l'avant qui observait le paysage, à mesure sableux à l'approche de l'océan, souvent défiguré par de grands panneaux publicitaires, la chaussée bordée des détritus balancés par les automobilistes de la civilisation du déchet durable, sacs en plastique et canettes métalliques qu'étudieront peut-être des archéologues, quand celle des Vegas, vers laquelle nous progressions, plus ancienne encore que celle des Valdivia, depuis huit mille ans avait laissé derrière elle les jolies petites traces de coquillages bivalves et de fragments de poterie, de pierres meulières et votives, de squelettes d'humains et autres animaux non-humains.

Dans les années soixante-dix du vingtième siècle, avaient été découvertes des sépultures dans les environs de Santa Elena, et parmi celles-ci un couple enlacé. Ils avaient entre vingt-cinq et trente ans, âge peut-être déjà canonique huit mille ans plus tôt. Nous étions debout devant ce couple si touchant – le bras droit de l'homme reposait sur le ventre disparu de sa compagne, leurs jambes étaient emmêlées –, pensions sans doute chacun de notre côté à nos histoires de couples. Certains d'entre nous connaissent ainsi l'amour jusqu'à la mort. Zweig et Lotte. Ces amants de Sumpa et ceux du Lutetia.

Les os blanchis montraient combien deux squelettes peuvent exprimer davantage de douceur qu'un tableau peint de deux corps dans la force de leur jeunesse et leurs chairs fermes. Une vanité. Depuis huit mille ans dormait ici, à Santa Elena, cette preuve que l'amour et la tendresse étaient là. Les civilisations s'effacent comme les vagues, les Valdivia oublieux déjà des Vegas et ainsi de suite. L'arrivée de l'Inca conquérant, le débarquement du guerrier Pizarro, puis l'invention de l'archéologie, laquelle savait même les festins de ces deux amants, leur tambouille de maïs et de mollusques.

Nous avions repris la route et atteint quelques kilomètres plus loin le rivage du Pacifique au port de pêche de La Libertad. Nous marchions sur le boulevard de mer. Assis sur le muret au-dessus de la plage déserte, un fou invectivait les passants de ses propos incohérents, une bouteille d'aguardiente à la main. Pierre m'avait montré la casquette rouge posée près de lui. Et c'était un drôle d'indice en effet, cette casquette rouge, celle de l'amnésique Victor que j'avais rencontré vingt ans plus tôt à La Libertad, l'autre Libertad, sur le Pacifique elle aussi, la Libertad salvadorienne, dans la cantina de Los Pescadores, bien plus au nord et dans l'autre hémisphère, ce Victor dans lequel j'avais cru retrouver le fou Taba-Taba de mon enfance au Lazaret.

La présence conjointe de cette casquette et de l'océan augmentait encore notre proximité. C'est aussi une règle de physique et de psychologie que deux personnes côte à côte, perdues dans l'observation de l'horizon marin, ainsi qu'on faisait autrefois le point en mer à la gonio par triangulation radio, délimitent un cône dont la base étroite, les quelques dizaines de centimètres qui séparent leurs deux corps, est parcourue, comme par une onde électrique, d'une exaltation et d'une douce ébriété. Deux jours plus tôt s'était échouée ici une baleine qu'on avait enfouie dans le sable. Nous regardions les navires au mouillage, les chalutiers industriels et plus loin les pétroliers sur coffres, avions vaguement en tête les distances et degrés de longitude parcourus depuis Belém sur l'Atlantique jusqu'à cette plage sur le Pacifique, en latitude toujours un peu en dessous de l'équateur.

Ayant ainsi touché au but et atteints de fringale, nous avions assez vainement vadrouillé le long du littoral ainsi que dans les rues adjacentes. Pierre avait opté pour un immeuble de verre où se tenait un hôtel, lequel tout de même devait bien nourrir ses hôtes. Un ascenseur menait à une espèce de cantine dans laquelle, en guise de gueuleton, s'offrait le choix sempiternel du pollo ou du pescado accompagnés de riz à l'eau. Assis devant une baie vitrée opacifiée par les embruns, où se devinait néanmoins l'océan, nous énumérions la liste des animaux vivants surpris au long du parcours, du paresseux tridactyle au tapir grognon, mais pas une seule baleine, juste le squelette de l'une d'elles, au petit musée brésilien de Santarém.

en cale sèche

Comme chaque année à cette date du 21 février, je m'étais levé avant l'aube, dans cet entre-deux où nous accompagnent encore avec sérénité ceux qui furent puis disparurent, ces morts qui ne le sont pas encore s'ils demeurent dans les rêves de la nuit. Devant une fenêtre de cet appartement qui pourrait être une cabine immobile de navire, avec vue sur les toits de Paris et ses cheminées, plusieurs mois après notre retour, j'attendais le lever du soleil comme je l'avais attendu vingt-deux ans plus tôt, jour pour jour, devant une fenêtre de l'hôtel Morgut de Managua, le matin où j'avais commencé d'écrire la vie de William Walker, et depuis ce 21 février 1997, j'avais résolu de consacrer cette éphéméride à l'avancement du projet Abracadabra, à son parcours autour de la planète.

À mesure que le ciel blanchissait, je flottais immobile dans le temps et l'espace, vers une chambre d'hôtel au nord du Vietnam le 21 février 2011 à Haiphong, dans une autre à Tampico le 21 février 2014, un an plus tard quittant par la route Quito avec Edwin Madrid pour les volcans de la cordillère, un an plus tard encore me préparant à aller abandonner Taba-Taba à Madagascar, l'an passé au Maroc où j'étais allé revoir la maison dite du général Mangin.

Et cette date, depuis vingt-deux ans, me faisait tressaillir lorsque je la rencontrais au hasard : le 21 février 1541, l'expédition de Gonzalo Pizarro quittait la ville de Quito à la recherche de l'Eldorado. Le 21 février 1924, Cendrars, depuis un mois au Brésil, y donnait sa première conférence : « La poésie moderne française ». Le 21 février 1928, Michaux en Équateur écrivait dans son journal : « Arrivée à la ferme de Guadalupe ». Le 21 février 1934, Sandino était assassiné à Managua par les sbires de Somoza. Le 21 février 1942, Zweig et Lotte s'apprêtaient à avaler le soir même la petite fiole de poison. Il faisait jour à présent. Le 21 février 1888, Vincent Van Gogh arrivait en Provence, à trente-quatre ans. Ce jour-là, c'était le treizième anniversaire d'une gamine arlésienne, Jeanne Calment. Elle allait vivre longtemps. Ce 21 février 1997, alors que j'entamais le projet Abracadabra, elle fêtait son cent vingt-deuxième anniversaire. En cette année 2019, des gériatres russes mettaient en doute la longévité de cette doyenne de l'humanité.

Alors que depuis vingt-deux ans je tentais de suivre autour du monde les soubresauts historiques et politiques depuis cette fatidique année 1860 de la deuxième révolution industrielle, je devais bien constater que, par-delà les conflits, les péripéties, les avancées technologiques, l'événement le plus considérable de ces vingt-deux dernières années était le bouleversement climatique en cours, auprès de quoi le reste paraissait anecdotique. Et ce 21 février 2019, dès le matin, la radio annonçait à Paris un pic de pollution, une alerte aux particules fines, conseillait aux personnes malades, aux enfants, aussi sans doute aux vieux clopeurs, de ne pas trop s'exposer.

Cependant ma présence ici à cette date était suffisamment rare et j'avais prévu de sortir de chez moi. Quand je ne vais pas très bien, je me dis que je suis Roger Casement condamné à mort dans sa geôle et que, par un incroyable privilège, j'ai le droit d'ouvrir la porte, de prendre l'ascenseur, de marcher dans la rue, de voir un arbre, un animal, même de traverser la Seine.

Non loin du musée de l'Homme, avec Xavier Person nous étions difficilement parvenus à trouver une table en terrasse place du Trocadéro. La chaleur était celle d'un mois de mai autrefois, le ciel pas même bleu mais blanchâtre, dans quoi s'élevait devant nous la haute tour à croisillons en fer algérien de Gustave Eiffel, comme égarée dans la brume. Xavier était fier de son fils encore lycéen qui séchait les cours pour protester chaque vendredi devant le ministère de l'Écologie. Le lendemain, la jeune égérie suédoise à l'origine du mouvement devait venir soutenir la manifestation parisienne, même si cette dernière ne rassemblait encore qu'une faible troupe d'enfants des beaux quartiers. Après le déjeuner, j'avais appelé Véronique et l'avait prévenue que le soir les terrasses sans doute seraient prises d'assaut, et qu'il était préférable de réserver. Plus optimiste, sans être pour autant climatosceptique, elle m'avait répondu que la température allait forcément baisser avant le dîner. Il n'empêche que nous étions restés à papoter sur la minuscule terrasse de l'Écailler dans le onzième jusqu'aux dernières minutes de ce jeudi 21 février 2019.

Quelques heures plus tard, une interne m'avait appelé depuis l'hôpital pour annoncer la mort imminente de ma mère. L'ablation du sein qu'elle avait subie moins d'un an plus tôt n'avait pas enrayé la progression du mal. Lorsque cette nouvelle était devenue effective, davantage ébranlé que je ne l'avais prévu, même si cette disparition, à près de quatre-vingt-dix ans, était dans l'ordre des choses, et n'était pas de nature à éveiller une suspicion russe, avant de prendre le train, j'avais appelé Pierre pour savoir s'il était chez lui, et je m'étais rendu à Ivry.

Depuis notre retour, il ne se passait pas deux semaines que nous ne nous croisions pour un verre ou un dîner. Nous prenions un café devant la fenêtre grande ouverte de son studio, laquelle donnait sur un jardin ceint de murs où la végétation était en avance. Je feuilletais des ouvrages de photographie et d'archéologie posés sur sa table de travail, aussi une édition bilingue des *Suppliantes* d'Eschyle. Nous évoquions un peu ma mère, puis le dérèglement écologique, le goût qu'il se découvrait pour le grec ancien. Le bruit feutré des trains de marchandises qui glissaient au loin était apaisant. Nous retrouvions le calme des conversations que nous menions pendant notre dernier séjour lorsque, après avoir quitté Santa Elena, nous avions mis le cap sur les îles, loin au large de Puerto Libertad.

à Santa Cruz

Pour qui a séjourné auparavant dans les îles de la Polynésie, connu ses lagons de poissons multicolores, et telle était la situation du marin Herman Melville, le paysage de l'archipel des Galápagos paraît d'emblée inhumain, végétation impénétrable souvent sous une bruine bretonne ou écossaise. En cette année 1841, six ans après le passage de Darwin, il navigue depuis le Pérou. « À la fin, poussés par la brise équatoriale, nous filions droit vers l'ouest, le long précisément de la Ligne, scrutant de gauche et de droite, mais ne voyant que le rien. »

Lui qui déjà vient d'écrire que Lima est « la ville la plus triste du monde » continue de prendre des notes. Il écrira *Les Encantadas* et pourtant ne les trouve pas très enchantées, ces îles : « On peut douter qu'aucun lieu de la terre égale en désolation cet archipel. » Seules les grandes tortues le fascinent. Il compare leur entêtement au sien. « Je les ai vues, au cours de leurs randonnées, se jeter héroïquement contre des roches et rester là, indéfiniment, se cognant, se démenant, s'arc-boutant dans le dessein de les déplacer et de poursuivre leur inflexible route. Leur malédiction suprême est cette pénible aspiration à la rectitude dans un monde semé d'embûches. »

On voit souvent des requins à la station de taxis.

Lorsqu'on n'écrit pas de fiction, il est bon de venir jusqu'à Puerto Ayora pour composer une telle phrase, assis sur le ponton de bois à lattes ajourées, devant la file des bateaux-taxis jaunes, avant d'en héler un pour rentrer à l'hôtel, alors que les bestiaux gris argenté nagent avec solennité entre les piliers, dans l'eau froide et claire, écartent le banc de fretin, qui s'ouvre et se referme après leur passage.

En trois ans, ce village tout au sud de l'île de Santa Cruz s'était étendu de nouvelles constructions le long de la route pour Baltra. L'espèce humaine est bien la plus invasive. Les sacs en plastique n'y étaient toujours pas interdits, même si les restrictions à l'importation s'amplifiaient, et que tout étranger à l'archipel ne pouvait y séjourner que soixante jours par an même en plusieurs fois. Le spectacle chaque matin sur le petit marché aux poissons demeurait édifiant, saynètes animalières dont La Fontaine ou Ésope auraient su tirer des fables pour notre élévation morale. Les bateaux de pêche étaient de grandes barques sans pont, peintes en bleu et blanc, équipées de moteur hors-bord. Au retour à l'aube, elles s'alignaient à couple dans la crique de roches noires volcaniques et toute la ménagerie rappliquait.

Sur le quai, chaque poissonnier entretenait sa grosse otarie au pelage roux entre ses jambes, découpait les thons, les vidait, faisait glisser la peau et les viscères vers la grande bouche moustachue qui attendait là-dessous. Ces otaries civilisées, yeux et moustaches de gros matous tête levée, gueule ouverte, patientaient sans rien dérober, au risque de perdre leur privilège et de se retrouver avec les autres dans le port, les sauvages, capables de sauter à bord des barques, où les pêcheurs leur assénaient un coup de gaffe sur le museau. Dans l'eau se menait le grand combat de celles-ci avec les frégates qui fondaient en piqué, ailes repliées. Les pesants pélicans, trop malhabiles au sol, quasi baudelairiens, qui toujours tremblent comme de froid ou de Parkinson, mendiaient les restes sur le quai, gauches et boitillants. Le pélican laisse manger avant lui l'iguane marin pourtant plus petit mais cracheur et agressif. Les autres poissons taille portion, vendus entiers et non vidés, ne participaient pas à la représentation, ni les langoustes rouges dans leurs caissettes remuant leurs antennes. Une flopée de petits oiseaux voleurs picorait les déchets. Dans cette lutte pour la vie, seuls les plus forts ou les plus habiles se reproduiraient : dans le ciel les frégates se battaient entre elles, s'arrachaient du bec les lambeaux de chair rouge dont les débris tombés dans l'eau suscitaient l'affolement des milliers d'étincelles argentées du fretin.

À l'écart sur les rochers, une otarie rassasiée allaitait un petit. Plus loin de jeunes garçons plongeaient du môle et riaient, des adolescents rastas fumaient de la jeanne sur un banc. Depuis ce port, en 1985, l'un de ces pêcheurs, Miguel Andagana Yaucha, victime à bord d'une avarie, avait dérivé trois mois avec son équipage, au gré des deux courants contraires Humboldt et El Niño. L'embarcation avait touché terre au Costa Rica, loin dans l'hémisphère Nord, miracle qu'en homme de foi le capitaine attribuait à Dieu lui-même, dans *Bitácora sin destino*, un ouvrage publié à compte d'auteur dont j'avais fait l'acquisition trois ans plus tôt sur ce quai.

Nous remontions depuis le marché la longue avenida Darwin jusqu'à la Estación Científica Darwin. Pierre en savait plus que moi, qui m'apprenait tous les hasards de cette histoire, et que Charles Darwin n'était même pas le naturaliste de l'expédition.

à bord

C'est à l'arrache qu'il est embarqué, Charles, et pour des raisons davantage protocolaires que scientifiques. Le capitaine du *Beagle* cherche au dernier moment un convive. En cette fin de décembre 1831, il s'apprête à appareiller pour une deuxième mission autour du monde. L'équipe est au complet. Il a déjà recruté marins et savants. Mais le capitaine auquel il succède, privé d'une conversation digne de son rang, devenu fou de solitude, s'était suicidé dans les mers du Sud. Robert FitzRoy est un aristocrate, lointain descendant du roi Charles II. Charles Darwin est un gentleman, digne selon l'étiquette alors en vigueur de partager ses repas. Ce seront ainsi cinq ans de tête-à-tête dans le carré du capitaine.

Ces deux-là sont fragiles. Même si les hommes de l'époque mûrissaient plus vite, ce sont encore presque des gamins. À l'embarquement, Charles est âgé de vingt-deux ans et Robert de vingt-six. Ils partagent le goût des sciences et de la géographie, de l'étude des roches, sont des lecteurs attentifs des *Principes de géologie* de Charles Lyell, d'après lesquels la planète n'a pas toujours été dans cet état, et que le déluge n'explique pas tout. À bord sont trois indigènes de la Terre de Feu, déportés en Europe comme les trois

Indiens Tupi trois siècles plus tôt, et qu'on ramène chez eux pour en faire des missionnaires, après qu'ils ont reçu une bonne éducation anglaise. Le navire quitte la Tamise pour les îles du Cap-Vert. Le cuisinier sonne la cloche. C'est le rituel culinaire de Charles & Robert.

Robert c'est aussi le prénom du père de Charles. Charles déçoit son père Robert : il a abandonné ses études de médecine, abandonné ses études de théologie, tâté de la botanique et de la zoologie, papillonné, mais rien de très brillant. On ne sait plus quoi faire de ce fils. Il n'est pas encore naturaliste, même s'il a un peu appris à disséquer des rats, il a étudié et collectionné les insectes, surtout les coléoptères : « Tu ne t'intéresses à rien sauf à la chasse, à tes chiens et à trucider des rats, et tu vas rater ta vie et déshonorer ta famille. » Les débuts d'un génie sont souvent ceux d'un indécis touche-à-tout. Il est plus proche de son grand-père Erasmus, le poète botaniste.

À chaque escale, Charles part en expédition quand le naturaliste de l'expédition est souvent confiné à bord. Il entreprend les collectes de minéraux et de végétaux, les dessins, les relevés, apprend sur le tas le métier, emplit des caisses qu'on numérote et descend dans la cale. Lors du huis clos quotidien à la table du capitaine, il la ferme. Une seule fois, à propos de l'esclavage, pendant l'escale brésilienne à Salvador de Bahia, il s'était laissé aller à des propos abolitionnistes. Il avait été chassé du carré par Robert, lequel, un peu emmerdé de dîner seul, lui avait cependant présenté ses excuses, l'avait prié de bien vouloir reprendre son rond de serviette et ses couverts en argent. Dans ses souvenirs, Charles écrira qu'il est « extrêmement difficile de rester en bons termes avec le capitaine d'un vaisseau de guerre, car c'est presque faire acte de mutinerie que de lui répondre comme on répondrait à quelqu'un d'autre ».

Le *Beagle* descend la côte du Brésil, fait escale en Uruguay, en Argentine, aux Malouines, en Terre de Feu, franchit le cap Horn, remonte la côte du Chili, puis du Pérou. Depuis le port de Callao, au nord de Lima, il fait voile au nord-ouest vers les Galápagos, qu'il aborde en septembre 1835. Voilà quatre ans déjà qu'ils sont en route. Le naturaliste du bord a depuis longtemps profité d'une bordée pour poser sac à terre et démissionner.

Bien avant le séjour dans l'archipel, l'idée de l'évolutionnisme des espèces avait germé dans l'esprit de Charles, idée qu'il avait tue devant Robert. Il la tait encore. L'étude des variétés de pinsons, différentes sur chacune des îles, la forme des becs, mieux adaptée à la nourriture locale, comme si une même espèce d'oiseaux, dont les populations auraient été isolées par la montée des eaux, avait subi une spéciation très rapide, en quelques centaines ou milliers d'années, un claquement de doigts sur l'échelle géologique, tout cela enrichit sa réflexion. Ce ne sont que des hypothèses encore. Elles sont de nature, s'il les exprimait à table, à l'envoyer manger du pain noir à la cambuse au milieu des gabiers.

C'est dans tous les domaines qu'il continuera longtemps de la fermer. Plus tard en Polynésie, il acceptera de cosigner avec Robert un appel à l'évangélisation, *The Moral State of Tahiti*, lui qui reniera le christianisme à son retour. Sa véritable conversation est silencieuse. Elle est avec l'œuvre de Humboldt, dont les volumes l'accompagnent. C'est tout petit, le *Beagle*. Charles occupe une cabine de poupe de trois mètres sur trois, de plus traversée par le mât d'artimon, un hamac, l'œuvre immense de Humboldt et ses propres carnets jaunes qu'il emplit. Mais les escales sont nombreuses, qui le dispensent aussi du rituel culinaire. Alors il respire, à pied ou à cheval, bat les campagnes et escalade les montagnes. Sur ces cinq années, il aura passé la moitié du temps à terre.

Après avoir regagné l'Angleterre, il rédige son récit de voyage qui est un succès, et dont il fait parvenir un exemplaire à Humboldt. Il est à présent naturaliste, publie dans différentes disciplines, est reçu dans les académies scientifiques. Mais pendant longtemps, toujours pas un mot de la théorie évolutionniste, ni, surtout, de son hypothèse de la sélection naturelle. De cette bombe à retardement qui pourrait détruire sa vie et le vouer au bannissement. Sa santé décline. C'est vingt-quatre ans après son séjour aux Galápagos que, d'un coup saisi par la crainte d'être devancé, parce qu'il constate à la lecture de certaines communications que d'autres s'approchent de l'idée, il fait paraître *L'Origine des espèces*, en 1859. C'est l'année de la mort de Humboldt. Il n'aura pu prouver son génie à ce père de substitution.

Lorsqu'il se met à la rédaction de son grand œuvre, Charles compulse ses carnets jaunes du temps du *Beagle*. Il s'emmêle un peu les pinceaux et les pinsons. Il reprend contact avec Robert, lequel a conservé mieux que lui la provenance de chaque piaf et le nom de son île. Les deux hommes sont alors en bons termes. Après avoir été pendant deux ans gouverneur de la Nouvelle-Zélande, Robert est le fondateur de la météorologie anglaise, à l'initiative du premier bulletin météo journalier publié dans le *Times* en 1860, inventeur du baromètre FitzRoy installé dans tous les ports de pêche pour sauver les marins de la tempête.

Mais cette année-là de 1860, c'est la grande controverse. La théorie de Darwin est une explosion. Une réunion scientifique se tient le 30 juin à Oxford. Il n'a déjà plus toute sa tête, Robert, qui vient perturber le cénacle, haranguer, arpenter la scène en héros shakespearien, brandissant la Bible, implorant le pardon de Dieu pour avoir à son corps défendant concouru à l'élaboration de cette œuvre infâme et impie. En cette même année 1860, qui est aussi celle de l'annexion de la Savoie à la France, Louis Pasteur file à Chamonix escalader la mer de Glace. Charles et Louis bouleversent la science du vivant. Le vice-amiral Robert FitzRoy se suicide en 1865.

Quant à Charles Darwin, mort de trouille pendant des années devant son hypothèse révolutionnaire, il s'en sort mieux que Giordano Bruno ou Campanella, mieux même que Galilée, ni Inquisition ni abjuration : il repose dans l'abbaye de Westminster auprès de Newton. C'est aujourd'hui davantage qu'ils sont haïs, ces deux-là, l'un par les platistes et l'autre par les créationnistes.

Jeanne & George

Nous parcourions sous une pluie fine les chemins de la Station scientifique Darwin, et cette fois il était là, le vénérable George, Jorge el Solitario.

Repéré gambadant gaiement dans la nature au milieu des années soixante-dix, dernier survivant de son espèce de tortue, amené ici et pris en charge par le centre, on lui avait cherché pendant des dizaines d'années une femelle compatible. Sans succès. Soit qu'il fît le difficile, ou que ses mœurs fussent autres. Le vieux mâle s'était éteint sans descendance en 2012, à un âge qu'on estime à cent dix ou cent vingt ans, à peu près celui de Jeanne Calment qui, jusqu'à preuve du contraire, s'éteignit à cent vingt-deux ans. Et, si l'on avait déposé dans sa main de gamine le joli présent de l'une de ces petites bestioles qu'on offre souvent aux enfants, voilà un cadeau qui aurait fait de l'usage, même si, au fil du temps, l'animal de compagnie serait devenu bien encombrant dans son appartement arlésien.

La pesante dépouille de George fut envoyée aux États-Unis chez des spécialistes de la taxidermie des reptiles, afin de prélever aussi certaines de ses cellules pour un éventuel clonage. Elle y était encore lors de mon passage en 2015. Depuis l'an passé, elle était revenue et une salle entière lui était consacrée, à chaleur et hydrométrie constante. Le monstre se dressait dans l'obscurité. De la vieille carapace cabossée s'extrayait un très long cou, et tout au bout le regard sombre et méditatif, ainsi qu'il sied à un tyran en son mausolée.

Ce sont les chèvres lâchées sur son île par des marins qui avaient entraîné l'extinction de ses congénères. Ces ovins furent éradiqués. Des quinze variétés de tortues que comptait l'archipel à l'époque de Darwin et de Melville, onze étaient ici préservées. On veillait à l'éclosion des œufs, élevait pendant quelques années ces animaux manifestement non-humains, puis on les envoyait à l'herbage dans le centre de l'île avant de les réintroduire dans leur habitat respectif. Par des voies de terre boueuses, au milieu de la végétation grasse et humide, à quelques dizaines de kilomètres de Puerto Ayora vers le nord, nous étions allés les voir brouter l'herbe du rancho El Chato, avec la lenteur et la sérénité de grosses vaches en armure.

Peut-être un jour d'autres Russes, pour des raisons géopolitiques, en cas de bisbilles avec l'Équateur et le régime de Lenín Moreno, mettront en doute la longévité du vieux George.

Revenus au village, dans la cour gravillonnée d'un bistrot où j'étais assis seul trois ans plus tôt, près d'une laide statue polychrome d'un Darwin à longue barbe blanche, laquelle statue évoquait jusqu'à la confusion les multiples portraits d'Ernest Hemingway dans les rues de Key West, quand le jeune Charles n'avait que vingt-six ans lors de son séjour dans l'archipel –, nous buvions du café et fumions des cigarettes à l'ombre d'un bougainvillier rouge. Nous jouissions du bel avantage de pouvoir ainsi oraliser nos pensées, de les enrichir dans la conversation, avec la confiance réciproque et notre goût commun de la lecture. Si Pierre m'avait appris que Charles n'était pas le naturaliste du bord, je lui exposais les avancées de la théorie de Darwin sur celle de Lamarck, et le rôle joué dans son élaboration par la poésie de la nature écrite par les Anglais qui l'avaient précédé, poésie différente de celle des *Contemplations* dont nous lisions de temps à autre des fragments, poésie anglaise davantage philosophique et scientifique.

Erasmus Darwin, avec son poème *Loves of the Plants*, mise en vers de la classification botanique de Linné, avait influencé Humboldt, comme celui-ci avait enthousiasmé Samuel Taylor Coleridge et son ami William Wordsworth, le poète dont Lowry, quelques jours avant sa mort, était allé visiter la maison à Grasmere. Cette poésie anglaise avait traversé l'océan et enrichi celle de la Nouvelle-Angleterre, celle d'Emerson et de Whitman et la prose de Thoreau que nous avions déjà évoquée chez Takashi, ce Thoreau convaincu qu'une « description véridique de ce qui existe est la plus rare des poésies », auteur de cette remarque amusante selon laquelle « le meilleur de l'homme ne tarde pas à passer dans le sol en qualité d'engrais », ce Thoreau parfois tout de même agaçant, dans ses propos grincheux de misanthrope, autrement moins chaleureux que Takashi, et nous avions choisi la bonne cabane.

Indifférents à notre colloque de génétique poétique, les pinsons de Darwin, qui se savent protégés, font les malins, abusent de ce privilège et se croient tout permis, voletaient autour de nous, se posaient sur la table, picoraient grains de sucre et brins de tabac, pataugeaient même dans le cendrier, et nous devions les écarter d'un revers de main, ne souhaitant pas être tenus pour responsables du premier cancer du poumon du pinson ni de son éventuel diabète.

L'après-midi, depuis le Finch Bay, nous marchions sur un très étroit sentier dont j'ignorais trois ans plus tôt l'existence et que Pierre venait de découvrir, au milieu des roches noires basaltiques et des arbres cactus, longions le paysage rose tendre de l'unique marais salant de l'île, nous offrions un crochet sur le chemin privatif menant à la jolie maison bleue et blanche du consul d'Italie, munie de son propre môle en bois où dormaient des otaries, allions nager dans l'eau froide du canyon de Las Grietas parmi les gros poissons. Un soir à notre retour, une jeune otarie égarée, après avoir traversé la plage, et franchi le petit muret, ou le portail en bois qu'un nageur aurait omis de fermer, était venue plonger dans la piscine, devant nous qui sirotions au bar les caïpirinhas à la cachaça et autres breuvages que préparait un excellent barman, lequel, Guayaquileño marié à une îlienne, et ainsi devenu résident permanent, nous interrogeait sur les prix parisiens et la vie dans cette ville qu'il souhaitait connaître un jour.

Après qu'il avait alerté le personnel, et qu'on s'affairait à repêcher l'animal, il nous apprenait, tout en maniant son shaker, que deux ans plus tôt, lors d'un épisode particulièrement violent d'El Niño, l'accès à Tortuga Bay avait été interdit, à cause d'une invasion de requins-tigres et de requins-marteaux furieux qui s'étaient mis à tout attaquer. Et une nuit, depuis ce bar, il avait entendu des pleurs et des lamentations qui paraissaient d'un enfant, s'était dirigé vers la plage avec une lampe, avait découvert un vieux lion de mer à moitié bouffé et sanguinolent, qu'il avait bien fallu abattre.

En ce milieu de l'année 2018, la folle accélération du dérèglement climatique provoquait un été caniculaire dans l'hémisphère Nord, des incendies partout et jusqu'en Scandinavie et au Groenland. L'épuisement des ressources, l'asphyxie des océans sous des continents de plastique étaient susceptibles d'entraîner l'extinction de la vie sur cette planète, provoquaient déjà la disparition de nombreuses espèces d'oiseaux et de mammifères ainsi que celle de Nicolas Hulot, ministre français de l'Écologie dont nous apprenions ici la démission, impuissant face aux pressions des lobbies de l'industrie agroalimentaire et des compagnies pétrochimiques.

Si, dans l'imagerie populaire, Darwin est devenu une manière de premier écolo à la Hulot, il convient de toujours se garder de l'anachronisme. Darwin fut un homme de son temps. Il serait étonné de savoir son nom donné au centre de préservation des tortues. Parce que après cinq semaines au mouillage, s'apprêtant à appareiller pour Tahiti, les soutes du *Beagle* en sont emplies, avec le projet de les boulotter en route. Alignées sur le dos à fond de cale, chacune de ces bêtes offre la promesse d'une bonne centaine de kilos de bidoche.

Charles & Alexandre

Retrouvant après cinq semaines la vie monotone dans sa petite cabine à la poupe, et le sempiternel rituel culinaire qu'il abhorre, muet devant sa soupe à la tortue, Darwin sait que ses notes sur les pinsons, qu'il relit, vont peu à peu cristalliser sa théorie, mais ce sera long. Après son retour, il enverra *Le Voyage du Beagle* à Humboldt qu'il admire, lequel le remercie de cet « excellent et admirable livre ». Le contact est établi avec son héros, qui dans sa réponse se montre enthousiaste : « Vous avez un grand avenir devant vous. »

Tout en se livrant à divers travaux annexes, Charles continue d'étudier les livres d'Alexandre dès leur parution. Celui-ci se lance à soixante ans dans une longue expédition en Russie, et jusqu'en Chine et en Sibérie, cette fois sans Bonpland toujours en taule au Paraguay. Auteur déjà d'une œuvre immense et universelle, Humboldt entreprend dans les années qui suivent la rédaction d'un ouvrage plus gigantesque encore, *Cosmos, Esquisse d'une description physique du monde*, ensemble encyclopédique des connaissances planétaires des arts industriels et de l'agriculture, de la politique et de la botanique, de la géologie et de l'Histoire, de la poésie et de la peinture.

Surtout, c'est tout un livre sur l'univers dans lequel n'apparaît pas une fois le mot « Dieu ».

C'est de cela qu'il aimerait lui parler, Charles, qui hésite encore à publier sa théorie. Enfin ces deux-là se rencontrent en 1842, à Londres. Charles a trente-deux ans, brillant naturaliste mais encore loin d'avoir révolutionné la connaissance du vivant, il est reçu par un vieil homme aux cheveux blancs de soixante-treize ans, intarissable bavard. Charles ne peut pas en placer une, lui qui enfin aimerait l'ouvrir. On n'en saura pas davantage sur ce tête-à-tête que sur celui de Guayaquil.

Ce qui l'effraie, le retient, Darwin, c'est d'ajouter encore à notre relégation progressive, à la faillite de l'anthropocentrisme entamée avec celle du géocentrisme, avec Copernic et Galilée, avant quoi tout de même nous habitions au centre de l'univers, sur une planète stable et immobile. Puis ç'avait été le vertige de Kepler devant les relevés astronomiques de Tycho Brahe, qu'il fut le premier à comprendre, et ses trois lois qui en découlent, et que non seulement la Terre tourne, mais que sa révolution sur l'ellipse ne s'effectue pas à vitesse constante, que nous sommes embarqués sur une boule accélérant au périhélie et ralentissant à l'aphélie. Mais du moins avec Descartes, au même moment, demeurions-nous absolument différents des animaux, qui n'étaient que des mécanismes privés d'âme.

Puis Darwin doit nous annoncer que nous n'avons pas été placés par un Dieu bienveillant au centre de sa création mais que nous avons évolué par hasard. Puis Pasteur doit nous annoncer qu'une vie invisible fourmille en nous et parfois nous tue. Puis la paléontologie doit nous annoncer que de nombreuses espèces, depuis trois milliards d'années, sont apparues puis ont disparu, et que l'humanité disparaîtra. Puis la thermodynamique doit nous annoncer l'extinction inéluctable du soleil, lorsqu'il aura fini de transformer son hydrogène en hélium. Puis Einstein que ni le temps de nos horloges ni l'espace de nos cartes ne sont des absolus, puis Freud que l'homme n'est pas une conscience claire et limpide guidée par la raison mais que sommeillent en nous des monstres inconnus. Puis la microphysique et l'astrophysique que l'univers est en expansion depuis quinze milliards d'années, que nous vivons sur une toute petite planète en bordure d'une modeste galaxie parmi des millions d'autres. Puis la tectonique qu'à la surface même de ce globe minuscule le sol se dérobe, que les continents se déplacent de plusieurs centimètres par an et que nous marchons en équilibre sur ces radeaux, puis les nanotechnologies qu'elles sont capables de modifier le cerveau humain, ses sentiments et ses sensations, que plus jamais un humain ne battra une machine au jeu d'échecs. Et dans la crainte que ces technologies intelligentes pourraient bien l'asservir, la crainte de l'humanité de devenir une espèce inférieure à son tour, apparaissaient, par un curieux retournement, les mouvements antispécistes, la revendication d'appartenir au règne animal, l'imploration du pardon des bêtes, et l'affirmation qu'à présent, à moins d'être l'un de ces Japonais fanatiques, nous ne tuerions plus Moby Dick, c'est promis.

Ce que Darwin avait à nous dire, c'est que la vie évolue mais sans direction ni signification. Contrairement à Lamarck, pas d'échelle qu'elle gravirait, une évolution sans projet, la variation fruit du hasard. Ce qui cependant, jusqu'à sa mort, le sauva de l'opprobre, Charles, c'est que, volontairement ou non, sa théorie d'abord ne fut pas comprise. Dans une idéologie qui convenait à la deuxième révolution industrielle, au colonialisme qui en était la conséquence, on confondit évolution et progrès, à Londres on accepta l'évidence d'une évolution du singe à l'Anglais, passant par les strates intermédiaires de l'Indien et du Français, du Chinois et de l'Arabe. On fit croire aux masses laborieuses que leur vie était plus évoluée que celle des chasseurs-cueilleurs, aux ouvriers enfermés douze heures par jour dans leurs usines et au fond des mines qu'ils concouraient ainsi à l'avancée du Progrès.

Pourtant, selon la théorie darwinienne, l'évolution des espèces n'a pas de but, l'homme n'est pas un aboutissement, n'existe aucune suite d'échelons dont nous occuperions le sommet, l'extinction est le futur de toutes les espèces, la plupart du temps provoquée par les bouleversements climatiques, et la concurrence d'autres formes de vie mieux adaptées. Ce qui, pendant toutes ces années qui suivirent le retour des Galápagos, le terrorisa, c'est le matérialisme, plutôt que l'évolutionnisme. La bombe était celle-ci, que nous savons à présent, que l'esprit est le résultat du fonctionnement matériel du cerveau, lequel produit les émotions et les élans spirituels sans besoin de l'hypothèse d'une âme immortelle, et que nos plus sublimes pensées, comme nos amours, sont les produits de la chimie organique et de la connexion des réseaux de milliards de neurones.

Au moment où il se résout enfin à la rédaction, depuis deux mille ans les conceptions idéalistes l'ont emporté sur les matérialistes de l'Antiquité, malgré l'intuition géniale de Spinoza qui les transcendait. Même si Darwin s'en tient à l'agnosticisme, il sait bien que sa théorie conforte l'athéisme, contredit les textes sacrés des monothéismes, selon lesquels la création daterait de quatre mille ans avant Jésus-Christ, et que soixante-quinze générations de pères et de fils se seraient succédé depuis Adam jusqu'à Jésus. Peut-être que Robert FitzRoy, lui, en sa folie mystique, l'avait comprise, cette dimension blasphématoire, avait attenté à sa vie pour en avoir le cœur net au plus vite.

Nous continuions à remuer toutes ces idées devant l'otarie égarée, laquelle semblait prendre plaisir à ses acrobaties nocturnes dans la piscine éclairée, une jeune otarie mâle ou femelle de guère plus d'un mètre, noire et luisante, souple, comme en caoutchouc. De temps à autre, Pierre me reprochait cet athéisme intransigeant, et aussi de ne pas l'avoir, enfant, expédié au catéchisme des chrétiens ni dans une médersa coranique : il avait dû plus tard et adulte étudier ces doctrines, et n'avait pas connu ces crises spirituelles qui m'avaient amené adolescent à lire les Pères de l'Église, plus tard à étudier l'islam pendant mes années moyen-orientales. Je lui rappelais qu'en cette fin du mois d'août 2018, un peu partout dans le monde, les musulmans, à l'occasion de l'Aïd al-Adha, égorgeaient des moutons en souvenir d'Abraham s'apprêtant sur l'ordre de Dieu à égorger son fils.

Quant à son éducation religieuse, tout de même je l'avais emmené enfant visiter un musée de l'Inquisition en Cantabrie, à Santillana del Mar, voir les tenailles à pincer les chairs, les machines pour écarteler, ébouillanter les mécréants jusqu'à ce qu'ils convinssent de l'existence du Dieu de bonté et de miséricorde. Ces jours derniers, alors que l'Église catholique, refusant d'admettre que ses prêtres étaient des animaux humains soumis aux pulsions des espèces sexuées, était confrontée à de nombreux scandales de pédophilie, le pape qui n'en ratait pas une déclarait que l'homosexualité détectée dès l'enfance pourrait être guérie par la psychiatrie. Le Sénat argentin refusait de légaliser l'avortement : tous les hommes devaient devenir pères et les femmes subir. Bolsonaro poursuivait sa campagne avec le soutien des évangélistes, entendait sur leur conseil exiger l'enseignement du créationnisme. Le général Aléssio Ribeiro, pressenti pour être son futur ministre de l'Éducation, déclarait qu'enseigner le créationnisme « n'est pas une erreur ». Après le funeste présage de l'incendie du Musée national, et la disparition des œuvres du passé, Bolsonaro annonçait la disparition prochaine du ministère de la Culture, ainsi que l'ouverture des terres indiennes à l'industrie forestière. Il me semblait que, face à ces prémices, jointes à l'explosion démographique, justement dans les zones de la planète les plus soumises à l'obscurantisme, il ne serait pas inutile de créer, aux Galápagos, des réserves pour darwiniens en voie de disparition.

En cette année 2018, l'athéisme était illégal en Égypte et dans nombre de pays, passible de la prison voire de la mort. En Turquie, l'enseignement du darwinisme était interdit, tout comme les œuvres manifestement pro-kurdes de Spinoza et de Camus retirées des bibliothèques. Partout les croyances engendraient guerres et cruautés. Pour les matérialistes, l'existence de l'humanité n'a pas plus de nécessité que celle de l'univers et pourtant ceux-là promeuvent l'humanisme et l'altruisme et la tolérance, souscrivent à loi morale kantienne, selon laquelle nous devons toujours agir « de telle manière que la règle de ton action puisse être considérée comme une règle universelle d'action ».

La beauté est une propédeutique à la bonté, c'est l'énigme magnifique du petit pan de mur jaune proustien, l'obstination de Vermeer à s'approcher de la perfection en peinture : « Il n'y a aucune raison, dans nos conditions de vie sur cette terre, pour que nous nous croyions obligés à faire le bien, à être délicats, même à être polis, ni pour l'artiste athée à ce qu'il se croie obligé de recommencer vingt fois un morceau, dont l'admiration qu'il excitera importera peu à son corps mangé par les vers. »

L'ordre de la nature est un hasard comme le nôtre mais il est un ordre, et notre corps aussi, un ensemble de formes harmonieuses. La jouissance esthétique est la jouissance de cette vibration, en résonance, jusqu'à l'exaltation, de deux ensembles de formes parfaites et éphémères, cette reconnaissance à l'extérieur du cerveau de formes que nous partageons, des formes mathématiques assez simples, telle la ramification que nous lisons dans les branches et les racines et les feuilles comme dans notre système rachidien et veineux et bronchique, et les angles à cent vingt degrés, chemin le plus court pour relier trois point isolés dans l'espace, que nous admirons dans les rayonnages des abeilles ou la carapace de la tortue, et la suite arithmétique de Fibonacci dans le tourbillon sur le fleuve et les spirales des galaxies, la coquille de l'escargot et le cœur des fleurs, les jeux de formes sonores et colorées des paysages et des chants d'oiseaux que combinent et associent à l'infini la musique et la peinture. Alors que deux hommes raccompagnaient avec courtoisie l'otarie vers la plage, je me demandais si elle conserverait en son cerveau le souvenir d'avoir, une nuit, batifolé dans une eau douce, un peu chlorée, et comme éclairée par un soleil sous-marin.

père & fils

Davantage peut-être que celle de l'otarie – mais nous ne savons pas tout encore des otariidés *galapagoensis* –, la mémoire est notre seule permanence quand notre corps, comme le sien, est une structure dissipative qui se renouvelle, traversé par les molécules des breuvages que nous avalons, des aliments que nous digérons, de l'air que nous respirons, nous ne sommes jamais les mêmes et quelque chose pourtant demeure : entre ces deux séjours à trois ans d'intervalle dans ce même hôtel, retrouvant chaque matin l'habitude du bateau-taxi pour traverser la baie et gagner le port, il me semblait ne pas en avoir bougé. Comme si je n'avais depuis, pris de panique, parcouru la planète de la Chine aux États-Unis, de l'Égypte au Japon, du Mali à Madagascar, avec la crainte, avant d'être allé partout, de mourir jeune – crainte à ce point justifiée que je l'éprouvais à présent depuis soixante ans.

Pendant ces trois années, j'avais moins côtoyé Pierre et j'étais bouleversé d'être ici avec lui, en compagnie de la seule personne avec laquelle je partage de si fréquents éclats de rire – mais seulement, dans mon cas, lorsque nous ne sommes que tous les deux, et lui je ne sais pas. Nous posions notre regard sur ce même paysage et cependant,

quelle que fût notre attention, nos perceptions diffé-
raient. Je ne lisais pas ses phrases mais il me montrait ses
dessins d'arbres-cactus et de pinsons avant de les envoyer
à son amoureuse. Nous partagions langue et culture et la
moitié de notre message génétique, mais nous séparaient
trente-deux ans dans l'Histoire – l'homme à la différence
de l'otarie est un animal chronologique –, l'un né sous la
présidence de François Mitterrand et l'autre sous celle de
René Coty. Et trente-deux ans avant ma naissance, c'était
celle de mon père sous la présidence de Paul Doumergue,
trente-cinq ans après celle de son père sous celle de Sadi
Carnot : les générations sont aussi un bon instrument de
mesure de la vie politique.

S'agissant de ces deux-là, lisant leurs archives, leurs
lettres échangées, j'avais cherché quel pouvait être l'état
de leur optimisme à l'âge de soixante ans, l'un en 1950
toujours professeur de gymnastique à l'École de Sorèze,
l'autre en 1985 dans son bureau de l'hôpital psychiatrique de Mindin, et quel pouvait être leur optimisme à
vingt-neuf ans, le premier en 19 au sortir de son camp de
prisonnier en Bavière, l'autre en 54, jouant ses numéros
de clown au théâtre de l'hôpital. Je savais leur complicité
à l'été 42, lorsqu'ils avaient ensemble, réfugiés de guerre,
trouvé à s'embaucher comme ouvriers agricoles dans le
Périgord, et plus tard leur complicité dans cette lettre
envoyée par le fils de vingt ans, au sortir du maquis,
à son père de cinquante-cinq ans, alors que ce dernier
vient d'être nommé à Sorèze, et qu'il lui propose d'y
occuper le poste vacant de sous-économe : « Dans ce
cas je pourrais loger avec toi dans la même chambre et
manger à l'École, et comme nous serions libres à peu

près aux mêmes heures, nous pourrions nous promener ensemble. »

C'est ce que nous faisions depuis des mois, nous promener ensemble. Depuis des années.

Il est toujours agaçant de côtoyer des gens qui vous ont connu enfant. Cet agacement s'estompe avec le temps et la disparition de ces gens. Il nous était cependant impossible de faire comme si je n'avais pas connu Pierre enfant : peu après sa naissance en mars 1989, s'était produite une série d'événements considérables dont il ne pouvait avoir le souvenir direct, en juin les émeutes à Pékin place Tian'anmen, en juillet à Paris les cérémonies du Bicentenaire, en novembre la chute du Mur et la fin de la Guerre froide. Après que, dans les années qui avaient suivi celle-ci, j'avais entrepris de voyager un peu partout dans les pays de l'ancien bloc de l'Est, j'avais voulu m'installer en 1993 à La Havane qui était le dernier domino, au début d'El Período especial. J'avais entrecoupé ce séjour cubain de six mois d'un voyage en Europe à la fin de l'année, emmené Pierre à Berlin, où j'allais rencontrer le romancier Jésus Díaz, lequel venait de faire défection.

À l'aéroport, nous avions acheté deux ours identiques, l'un pour Pierre et l'autre pour Jean Toussaint. Ils avaient alors quatre ans, étaient nés à trois semaines d'intervalle, comme nous avions avec le père de Jean trois semaines d'écart. Nous logions chez Hans Cristoph Buch près de Tiergarten. Les trottoirs étaient gelés. Alors que nous marchions en direction du Kurfürstendamm, je portais de la main gauche l'ours que nous partions offrir à Jean, et tenais dans ma main droite celle de Pierre, qui avait glissé sur le verglas, et je l'avais soulevé de terre, lui qui tenait dans son autre main la patte de l'ours jumeau. Vingt-cinq ans après, je n'étais plus ce bon géant qui évitait la chute mais le boulet qu'il fallait traîner dans la montée.

à Tortuga Bay

À l'écart de Puerto Ayora, un sentier pavé de deux mètres de large s'engageait au milieu d'une végétation de ronciers, d'arbres-cactus en larges raquettes et autres épineux, végétation impénétrable, grisâtre et vert pâle, qui avait dû rebuter les marins du temps de Melville, lesquels sans doute, après s'être déchiré bras et jambes, avaient progressé là par le feu. Pierre qui aurait pu, au prétexte d'avoir oublié quelque chose dans la chambre, ou pour seulement se dégourdir les jambes, retourner au port, effectuer un aller-retour en bateau-taxi, pour me retrouver ahanant, non loin de l'endroit où il m'aurait laissé, faisait preuve d'une grande patience à mon égard.

Pendant plusieurs kilomètres, le chemin montait et descendait le long des collines, serpentait, pavé de plaques de lave et bordé d'un muret sur chaque côté, ce qui lui donnait l'aspect d'une petite muraille de Chine ondulante. À mi-parcours, devant une nouvelle côte désespérante, un kiosque muni de bancs offrait de souffler un peu avant de reprendre la marche au milieu du maquis, où voletaient de temps à autre des oiseaux. Une dernière descente menait à la playa Brava, la plage Féroce, ou Dangereuse, hérissée de grands rouleaux de mer opalescente sous la pluie fine. Nous avions encore progressé d'un bon kilomètre le long de cette plage, où se voyaient en bordure des dunes les monticules de sable emplis d'œufs de tortues marines récemment pondus. Afin de préserver leur quiétude, l'accès à la petite muraille de Chine, et conséquemment à ce rivage, était interdit dès la fin de l'après-midi, le nombre de marcheurs, et d'éventuels pilleurs d'œufs, vérifié dans une guérite à l'aller comme au retour.

Des milliers de petites bestioles affolées entameraient après l'éclosion leur course jusqu'à l'eau, dont un nombre considérable serait becqueté par les frégates en piqué avant de l'atteindre. Et une partie encore plus considérable serait avalée dans les jours suivants par les otaries et les requins. Jouant en cela le pari du nombre, celui de la méthode dite par « saturation du prédateur » qui est la seule défense de l'espèce, quelques-unes survivraient pour revenir pondre ici avec obstination. Pendant cette marche pénible dans le sable, alors que je gardais le silence, concentré sur ma respiration, Pierre avait mentionné le petit panneau en bois que, depuis des jours, nous ne pouvions pas ne pas voir, vissé près du bar du Finch Bay, *Olas del Mundo – Worldwide Waves*, lequel appelait à se souvenir que le vendredi 11 mars 2011, l'alerte au tsunami avait été lancée sur la côte japonaise de la province de Miyagi à 14 h 46 local time, et aux Galápagos à 15 h 38 local time, après que la vague avait parcouru près de quinze mille kilomètres.

Afin de calculer les décalages horaires et la vitesse de sa propagation, j'avais recopié le texte bilingue anglais-espagnol, sans aborder cette matinée pendant laquelle, tout juste retour d'Asie, j'avais retrouvé Pierre. Nous ne disions rien. Il avait aussitôt coupé court, m'indiquant ainsi que cette journée-là, nous allions la garder gravée mais enfouie, scellée, qu'il n'en serait plus jamais question.

Tout au bout de l'île, après qu'il était allé nager dans une baie à l'abri des déferlantes, de l'autre côté d'une bande de rochers et d'une mangrove peu profonde, où nidifiaient les iguanes marins en colonies, empilés, vautrés les uns sur les autres à des fins de fornication ou de conservation de leur température, nous les entendions cracher à notre approche par leurs naseaux un liquide salé nauséabond. Il faut beaucoup d'efforts pour parvenir à aimer l'iguane noir, vision de cauchemar, apparemment aussi con et agressif qu'un margouillat d'Afrique et capable de mordre, songeant que, si l'évolution avait joué en sa faveur, s'il faisait la taille d'un homme et celui-ci la sienne, il n'est pas sûr qu'il classerait l'humanité en espèce protégée.

On peut cependant éprouver à son égard une compassion, une responsabilité collective aussi. Quelques semaines plus tard, un article du *New York Times*, daté du 19 décembre 2018, énumérerait les bouleversements qu'entraînait aux Galápagos la crise climatique planétaire, et parmi ceux-ci la diminution de la taille des iguanes marins confrontés à des périodes de famine, périodes pendant lesquelles ils étaient capables de se sustenter de leur propre squelette. Cet article mentionnerait encore l'invasion de l'archipel par les « fire ants », les fourmis de feu capables de manger les œufs des tortues terrestres, et aussi de s'attaquer aux yeux et aux pattes des adultes qu'elles mordaient pour s'en nourrir. Et la vision était terrible de ces pesants animaux inoffensifs, incapables de résister comme de s'enfuir, aveugles ou éborgnés, dévorés vifs.

Côte à côte au bord de l'océan, nous demeurions immobiles devant le paysage immense de bout du monde, le jade très pâle des vagues écumeuses, les frégates ballottées dans le ciel par le vent fort, le sable blanc et les blocs de lave noire. Comme dans la neige et la glace de l'aiguille du Midi, Pierre aurait pu prendre à Tortuga Bay des images presque en noir et blanc qui évoqueraient le film de Jarmush *Stranger Than Paradise*, l'étendue déserte, vide d'embarcations, brumeuse, face au courant froid de Humboldt qui s'engouffrait entre les deux îles de Santa Cruz et d'Isabela.

Nous regardions vers le sud-ouest et la Polynésie comme si le *Beagle* sous voiles allait glisser devant nous, à la toute extrémité de ces îles du Pacifique à mille cinq cents kilomètres du premier continent, traversées par l'équateur comme les îles de Zanzibar et Pemba dans l'Indien, celles de São Tomé et Príncipe dans l'Atlantique, équateur qui d'ici ne survolait plus, vers l'ouest, que de l'eau jusqu'aux îles Batu en Indonésie, à moins que, selon les idiots de platistes, il ne fût déjà passé de l'autre côté du disque, ou tombé dans le rien.

Un peu en retrait, j'observais son profil grave et ruisselant des eaux salée de la baignade et douce de la pluie, les cheveux bouclés de sa mère et les yeux noirs, un visage un peu grec. Après tous ces jours d'une promiscuité contre laquelle on n'avait pas manqué de nous mettre en garde, nous serions, me semble-t-il, partis volontiers pour l'archipel Juan Fernández au large du Chili, puis l'île de Pâques, puis Tahiti sur les traces de Darwin et de Melville et de tous les autres. Silencieux, comme soulevé de terre par une émotion que je n'avais pas éprouvée depuis un après-midi trois ans plus tôt sur l'île Amantaní au milieu du lac, en lévitation survolant les siècles et les continents, retrouvant tout au bout du chemin les lectures échangées au long du parcours, les histoires racontées et discutées dans les cabines de navire et les chambres d'hôtel, le tourbillon de toutes ces vies et des deux nôtres aussi au milieu du maelström, convaincu que, pour cette minute au moins, je faisais bien d'être vivant, comme si depuis vingt-neuf ans j'attendais cette si fragile épiphanie.

une petite bibliothèque de bord

Moravagine, Blaise Cendrars, Grasset & Fasquelle, 1926
Cendrars, Miriam Cendrars, Balland, 1984
A Aventura brasileira de Blaise Cendrars, Alexandre Eulalio, Edusp, 2001
Brésil, des hommes sont venus, Blaise Cendrars, Fata Morgana, 1987
La Mort à Venise, Thomas Mann, traduction de Félix Bertaut, Geneviève Bianquis et Charles Sigwalt, Fayard, 1987
Les Essais, Michel de Montaigne, Gallimard, 2009
O Brasil de Marc Ferrez, IMS, 2005
Jours de Faulkner, Antônio Dutra, édition bilingue, traduction de Sébastien Roy, MEET, 2008
Les Pensionnaires, Lygia Fagundes Telles, traduction de Maryvonne Lapouge-Pettorelli, Stock, 2005
La Première Balle, Harry Laus, édition bilingue, traduction de Claire Cayron, MEET, 1989
Marcel Gautherot, Norte, apresentação Milton Hatoum e Samuel Titan, IMS, 2009
Histoire de la province de Santa Cruz, Pedro de Magalhães de Gândavo, traduction de Henri Ternaux-Compans, Le Passeur, 1995
Les Tribulations de Maqroll le gabier, Álvaro Mutis, traduction d'Annie Morvan, Grasset & Fasquelle, 2003
Le Dernier Visage, Álvaro Mutis, traduction de François Maspero, Grasset, 1991
Hautes Terres, Euclide da Cunha, traduction de Jorge Coli et Antoine Seel, Métailié, 1997

Diadorim, João Guimarães Rosa, traduction de Maryvonne Lapouge-Pettorelli, Albin Michel, 1991

Lampião, Élise Grunspan-Jasmin, PUF, 2001

Guerreiros do Sol, Frederico Pernambucano de Mello, Girafa, 2004

Sergent Getúlio, Jão Ubaldo, traduction d'Alice Raillard, Gallimard, 1978

Soldados da borracha, Frederico Alexandre de Oliveira Lima, Valer, 2014

Histoire du caoutchouc, Jean-Baptiste Serier, Desjonquères, 1993

Bestiario tropical, Alfredo Iriarte, Espasa, 1986

Un aventurier au Brésil, Peter Fleming, traduction d'Isabelle Chapman, Phébus, 1990

Les Enfants humiliés, Georges Bernanos, Gallimard, 1949

Sous le soleil de l'exil, Sébastien Lapaque, Grasset, 2003

Le Brésil, terre d'avenir, Stefan Zweig, traduction de Jean Longueville, L'Aube, 1992

Expédition Montaigne, Antônio Callado, traduction de Jacques Thiérot, Presses de la Renaissance, 1989

Rondon, Todd A. Diacon, Companhia Das Letras, 2006

Tristes Tropiques, Claude Lévi-Strauss, Plon 1955

Neuf nuits, Bernardo Carvalho, traduction de Geneviève Leibrich, Métailié, 2005

La Ville au milieu des eaux, Milton Hatoum, traduction de Michel Riaudel, Actes Sud, 2018

Crônica de duas cidades, Belém e Manaus, Benedito Nunes e Milton Hatoum, Secult, 2006

Fundação de Manaus, Mário Ypiranga Monteiro, Conquista, 1971

Un paradis sur l'Amazone, Carlos Franz, traduction d'Isabelle Gugnon, Seuil, 1999

Aves da Amazônia, Francisco Ritta Bernardino, Editora Escala, 2014

Vie et mort de l'Inca Atahuallpa, Gilbert Vaudey, Bourgois, 2018

Amazonie, ventre de l'Amérique, Gaspar de Carvajal, traduction de Laure Técher, Jérôme Millon, 1994

Ayacucho, Alfredo Pita, traduction de René Solis, Métailié, 2018

La procesión infinita, Diego Trelles Paz, Anagrama, 2017

Relation du voyage et de la rébellion d'Aguirre, Francisco Vásquez, traduction de Bernard Emery, Jérôme Millon, 1997

La Jangada, Jules Verne, Le Serpent à plumes, 2005

Le Superbe Orénoque, Jules Verne, Le Rocher, 2005

Orénoque-Amazone, Alain Gheerbrant, Gallimard, 1952

La Passion des Maufrais, Daniel Thouvenot, Scripta, 2004

Conquête de l'inutile, Werner Herzog, traduction de Coralie Courtois et allii, Capricci, 2008

Le Rapport Brazza, préface de Catherine Coquery-Vidrovitch, Le passager clandestin, 2014

Le Rêve du Celte, Mario Vargas Llosa, traduction d'Albert Bensoussan et Anne-Marie Casès, Gallimard 2011

Œuvres romanesques, Mario Vargas Llosa, Gallimard, 2016

Les Barons du caoutchouc, Jean-Baptiste Serier, Karthala, 2000

Amazonie mangeuse d'hommes, Ricardo Uztarroz, Arthaud, 2008

Ecuador, Henri Michaux, Gallimard, 1929

Henri Michaux, Jean-Pierre Martin, Gallimard, 2003

Terre trois fois maudite, César Ramiro Vásconez, édition bilingue, traduction de Françoise Garnier, MEET, 2015

Historia del Ecuador, Enrique Ayala Mora, Universidad Andina, 2008

Un voyage fait dans l'intérieur de l'Amérique méridionale, La Condamine, Classic Reprint, 2018

Correspondance 1805-1858, Alexander von Humboldt – Aimé Bonpland, L'Harmattan, 2004

L'Invention de la nature, Andrea Wulf, traduction de Florence Hertz, Noir sur Blanc, 2017

Œuvres complètes, Jorge Luis Borges, Gallimard, 2010

Le Plaisir le plus triste, Moritz Thomsen, traduction de Gérard-Henri Durand, Phébus, 2003

Une rencontre à Saint-Nazaire, Ricardo Piglia, édition bilingue, traduction d'Alain Keruzoré, MEET, 1989

Œuvres complètes, Herman Melville, traduction de Pierre Leyris, Gallimard, 2006

Les Encantadas, Herman Melville, traduction de Pierre Leyris, Gallimard, 2006

Bitácora sin destino, Miguel Angagana Yaucha, édition à compte d'auteur, 2014

Feuilles d'herbe, Walt Whitman, traduction de Jacques Darras, Gallimard, 2002

Walden ou la Vie dans les bois, Henry David Thoreau, traduction de Louis Fabulet, Gallimard, 1990

L'Origine des espèces, Charles Darwin, traduction d'Edmond Barbier, Maspero, 1980

L'Autobiographie, Charles Darwin, traduction de Jean-Michel Goux, Seuil, 2011

Darwin et les grandes énigmes de la vie, Stephen Jay Gould, traduction de Daniel Lemoine, Seuil, 1997

Galapagos, Footsteps in Paradise, Hugo Idrovo, Libri Mundi, 2005

Crédits

table

RÉALISATION : NORD COMPO À VILLENEUVE-D'ASCQ
ACHEVÉ D'IMPRIMER SUR ROTO-PAGE
PAR L'IMPRIMERIE FLOCH À MAYENNE
DÉPÔT LÉGAL : AOÛT 2019. N° 124750 (94443)
IMPRIMÉ EN FRANCE